KB097645

너무
단순명쾌해…

아냐…

좀 더…
복잡하면
서도…
강한…

다이의 소리에
지지 않는
굵직한
멜로디…

8

예… 그
기타리스트이신
…예…

…예,
그야 물론.

…아 예,
전데요.

여보세요?

9

날…

바로 그 카와키타 가…

카와키타 모토….

방금
그거
…

어
땠어?

아니… 난…
아침부터
알바 땜에…
완전….

'응?'은 무슨 '응?'!!
야!! 필인이
되는지 안 되는지
다시 한 번 해볼 테니까
잘 좀 들어봐─!!

…응?

다이!!

야!!

카와키타 모토
재즈 기타리스트
카가와 현 출신

슬한 뮤지션을
프로듀스

카와키타가
마츠모토에서
고교생 시절의
자네 연주를
봤거든.

새 피아노
연주자로서
꼭 사와베 군을
써보고
싶다는 거야.

MOTO KAWAKITA

플러스
오스트레일리아
2개 도시 투어
같은 것도
기대해볼 수
있을지도 몰라.

잘만 되면
일본 투어.

더 떨칠
수
있을
테고.

자네의
이름도

13

14

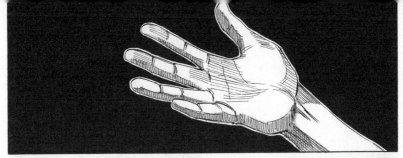

15

17

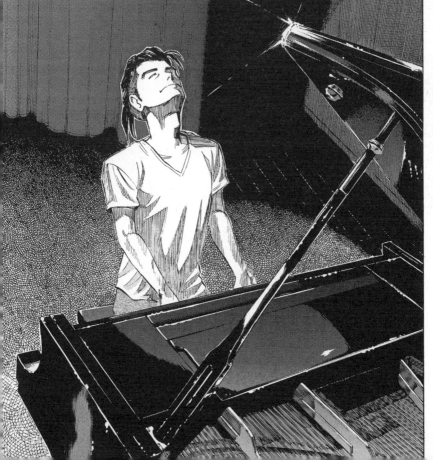

아…
예?

정말 좋았어,
사와베 군!!
최고야!!

…았어!!

힘껏
떨치자
이거야,
자네의
이름을!!

내
밴드에.

들어
오게나.

응?!

20

21

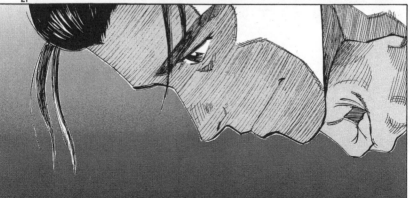

콰
아
아

한시간
만에…

이틀
치라…

경광봉
흔드는
알바

애당초...

내가 재즈를 진심으로 시작하게 된건

진짜배기 재즈 연주자, 재즈의 거인들이 즉흥으로 재현하는

기술이나 경험을 뛰어넘는... 뭔가에 이끌리는듯한 '초자연적 연주' 때문이야.

23

찾았다, 찾았어.

듣는 이까지 어디 다른 곳으로 데려가 버리는 감각…

즉흥성이 중시되는 재즈에서만 용납되는 순간….

클래식이나 록에선 있을 수 없는,

난 아직… 체험 못했어.

앉았어….

그런 감각이 찾아올 것 같지도… 그런 감각에 다가설 수 있을 것 같지도…

그 무대에서는

오늘…

그 인간들로는 말이야.

…안돼.

26

역시 분명…

으악?!

야.

유키노리?!
너 왜
뜬금없이…
이런 데…!!

나
배고픈데.

미야모토 군,
최고였어.

이만큼
전──부
내가 쏜다
싸.

내가
쏠게!!

고기
먹으러
가쟈!!

지, 진짜?!
타, 타마다도
불러도
괜찮아?!

28

고기?!

고─

제42화
ONCE
AROUND

생맥주 교ㅏ
상갈비 교ㅠ
우설 교ㅠ
안창살 ㅜ
갈비 ㅜ
김치 ㅜ
밥 ㅜ
항정살 ㅜ
계란탕 ㅡ

¥22150

32

33

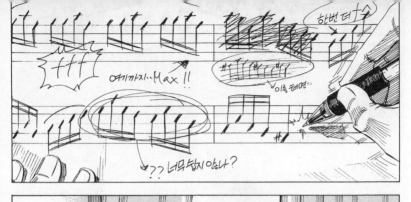

34

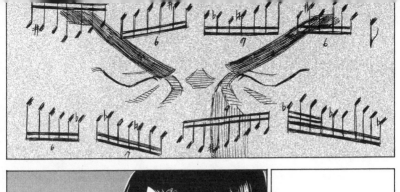

御茶ノ水駅
JR OCHANOMIZU STATION
茶ノ水駅 110 周年

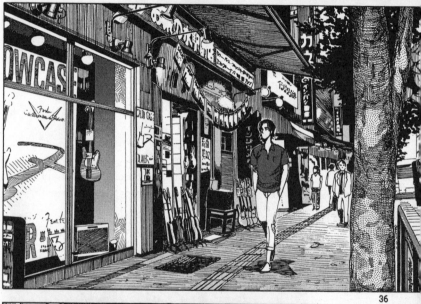

카리쿠라 악기

38

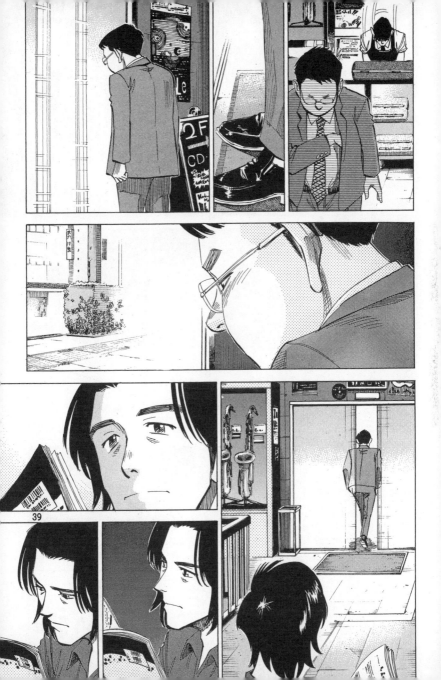

YAMAHA

⊕YAMAHA

GRAND PIANOS

⊕YAMAHA

AND PIA

40

CFX

¥19,000,000

○ 高さ 103㎝／間口 160㎝／奥行き 27
○ 深鳥／鏡面艶出し仕上�nズ 大庄付上面の
○リコート方式　○鍵盤：アイボライト（白
○ジンゲ模様　ら

41

42

43

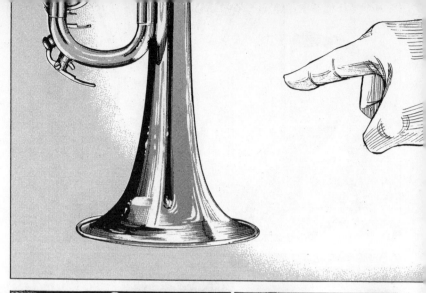

44

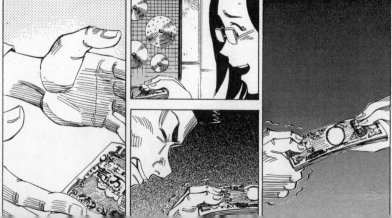

47

48

49

제43화
WHAT'S
NEW

채챙 챙 챙
챙챙챙챙 챙
채챙채 챙
채챙챙 앵
채챙 앵
앵

재즈드럼
답게
칠수 있게
됐어…챙
앵
채 앵
채 앵 채
앵

재즈
답게…

챙
타
앙
타
딩

어
느
새
…

타마다…
요한달새

카운트에
집중!!

자기
머릿속으로
확실히
카운트
해줘.

아…
알았어!

13박자에
스네어로
필인해줘.
13박자에.

12박자에
스네어가
들어갔어.

타
타
앙

거기!!!

응.

그리고 다이.

아니 진짜— 약해도 너무 약해.

약해.

그러려면 네 강한 소리가 절대적으로 필요불가결이야.

도입부 테마로 관객을 한 방에 KO시키고 싶어.

내가?!

약해?!

타마다의 드럼에 정신 팔려 있으면 어떡해.

어디로 가버린 거야?

네 강한 소리는

최강의 소리가 필요한데… 약해.

점점
능숙해지지.

쑥쑥
실력이
늘어.

악기를
막 시작할
무렵엔

나도
그랬지만...

타마다...
녀석은
필사적으로

혼자서
실력을
늘린
거야.

그
이상으로
실력이
늘고있어.

하지만...
타마다는
...

기어오르고
있어.

홀로

25.8

1분 좀
넘나
…?!

1:06.2

낮게 잡아 한 7m라고 치고…

이 계단이…

스카이 트리를 뛰어넘는 거야!!

100번 왕복하면 700m….

스카이 트리는 643m 니까…

2!!

1!!

높다!!

스카이 트리…

100… 번…

25m···.

64

주···죽겠다!!

1:32.5

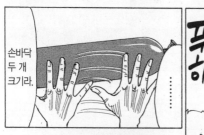

손바닥
두 개
크기라.

......

푸하

나
왔다
―.

달칵

다이 자식…
할 일이 없어서
돌아버렸나?

뭐
어
…?

서클
활동
중이야.

'다이부'

서클
활동.

뭐 하냐?
풍선 같은
걸 들고….

......

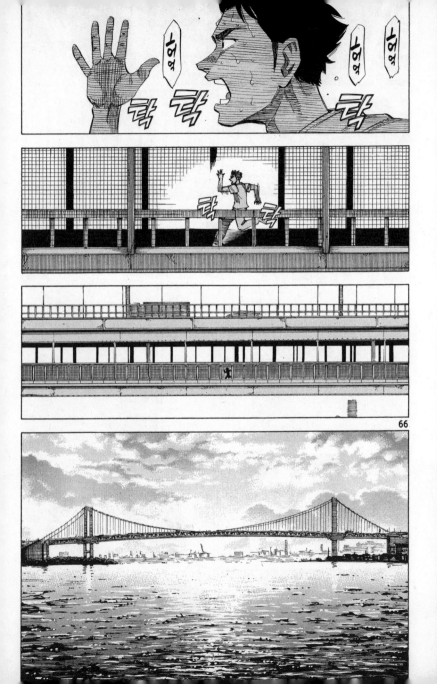

여기다…

…좋아.

오늘도
난입 OK
세션을
하고
있어.

난입 OK
무대
공연 중!
Jump In!! ♪♫

해보면…
알겠지.

할 수
있을까…?

한번도
없는데…

무대
난입을
해본 적은

연주자 포함...
20명 정도...

관객은...

...두 배,
아니
그 이상인가?

무대 규모는
'네이크투'의

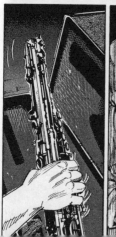

따닥
꺼걱

따닥
꺼걱

그럼…
다음은
누구 참가해
보실 분?

어디
ㅡ.

휴우
ㅡ.

제대로
불 수나
있나?

거…
꽤
젊은데…?

흔해,
악기만
그럴싸한
녀석쯤.
쓸어 담을
만큼….

제법
많이 써본
느낌이 나는
악기를
가져왔는데.

가져
왔나?

곡…

잘 부탁
드립
니다!!

처음
보는
친군데
….

글쎄요
….

누구였
더라?

다만…
솔로를
좀 길게
부탁드려요.

예.

우리 쪽에서
정해도
괜찮으려나?

그럼…

아뇨….

우와… 처음 보는 친구가

세게 나오는 뎁쇼…

그럼 〈아발론〉으로 할까? 키는 어디 보자, E로.

예.

띵 띵 띵 띵

좋아, 그렇게 하지.

그렇게 길게… 뭔 수라도 있나? 젊은 친구.

빠 빠 빠 빠

꽤 불잖아.

호오….

그렇군요….

호오~…. 의외로 꽤 하는데.

71

재즈 연구회 회원 같은 건가…?

주목을 받고 싶은 음대생 내지는…

72

참~….

뭐…
야단맞을
만도 했지,
그래서야.

야단
맞았네~….

꾝!

내 무기야.

…하지만

마치 하면
하나 둘
하나 둘
행진이다―

마치 하면
하나 둘
하나 둘
행진이다―

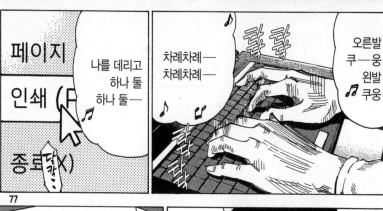

페이지

인쇄 (F

종료(X)

나를 데리고
하나 둘
하나 둘―

차례차례―
차례차례―

오른발
쿠―웅
왼발
쿠웅

77

18세의 재즈 나이트

사와베 유키노리   피아노
타마다 준지   드럼
미야모토 다이   색소폰

9월 18일
공연 시간 19

장소

…음,
최고다.

하나 둘
하나 둘―

들판으로
데려가
다오―

잘 부탁
드립니다
—!!

재즈
라이브를
합니다
—!!

오시길
기다리겠
습니다
—!!

감사
합니다!!

잘
부탁
드립니다
—!!

재즈
라이브를
합니다
—!!

무리라니까.

아무쪼록
잘 부탁
드립니다
—!!

재즈
라이브를
합니다
—!!

아무쪼록
잘 부탁
드립니다
—!!

라이브 공연은 아직 일러. 무리야.

애당초

내가 어떻게든 불러 모아 올게.

관객은…

대체 누가 들으러 오겠어?

무명인 우리 연주를

레가토가 뭔지, 셋잇단음표가 뭔지 같은 것도 바로 얼마 전에 알았잖아.

응?

유키노리네 신곡도 있잖아.

이젠 할 수 있어~.

그렇지, 타마다?

이르다니까.

밴드로서 완성되지 않았다고.

거 봐, 다이. 이르다니까.

…아니, 그건….

버벅대지 않고 연주할 수 있겠어?

그런데 타마다 너, 지금 당장 남들 앞에 나가서

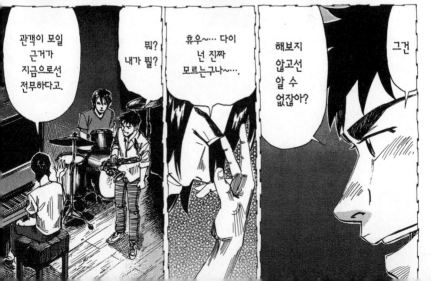

응? 글쎄, 뭐 한… 10퍼센트 쯤?

뭐야, 이거?!

응?

이상한 걸 여쭤봐서 좀 그렇지만….

오실 수 있는 확률이 얼마나… 그러니까 몇 퍼센트쯤 되시나요?

라이브 당일에

전력으로 연주할 테니까 꼭… 들으러 와주세요!!

저희는 100퍼… 아니, 120퍼센트!!

별로 얽히지 않는 게 나을 것 같은데.

실례가 많았습니다!!

기다릴게요, 모치즈키 씨!! 10퍼센트라도 기다릴게요!!

미야모토… 미야모토 다이라고 하는데요

아… 전,

나? …모치 즈키.

실례지만, 성함은요?

행진이다—.

마치 하면 하나 둘 하나 둘—

…많이 나눠줬네.

요 옆 다른 역으로 가자!!

좋아!!

아깝게…

아—아…

마치 하면…

84

…………!!

매정한 말이긴 하지만 우리도 땅 파서 먹고 사는 건 아니라 말이야.

자네들 말이야— 손님은 얼마나 불러 모을 수 있지?

손님이 들지 않으면 미안하지만 이번만이야.

아키코 씨 부탁이라 이번에는 우리 가게를 빌려주겠지만…

버스 도로 쿠—웅

만약 아키코 씨가 아니라 자네가 직접 부탁을 하러 왔으면

섭섭하게는 생각 말고.

흙탕물 도로 쿠웅

아예 거절했을지도 몰라.

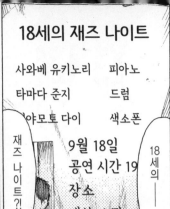

응!! 부탁해, 타마다!!

어쨌거나 전력으로 드럼 연습할게!!

관객 앞에서 망신 당하지 않게!!

난 드럼 연습할게!!

진심인가…?! 이 녀석들…

그거, 나도 거들게.

그럼 앞으로 천 장, 천 장 추가로 만들까, 전단지?

좋ー아…

88

부탁해도 소용없어.

제발, 유키노리!! 어떻게든 좀! 부탁이야!!

싫어ー.

그럼 유키노리 넌 너희 대학교에 홍보 좀 해!!

조오아ー아!!

89

다이
녀석…

진짜
후회 안 하실
겁니다!!

잘 부탁
드립니다
—!!

무슨
재즈교
포교 활동?

뭐지,
방금
그건?

거의 다
버렸잖아.

아―아―
아.

꼬시려는
수작이야,
분명.

뭐래,
그 사람?

90

쪽팔려….

다이…
나.

재즈
라이브를
합니다
—!!

잘 부탁
드립니
다
—!!

JAZZ HOUSE
Seven Spot

데뷔 장소가
된단
말이지.

여기가
우리의

흐—
음.

· · · · ·

왜 데이크투
같은
자기 가게는
놔두고
이런 데를
소개해
줬을까….

…아키코
씨는

없군,
아니…

우리
전단지는
…

휴우—
덕지덕지
붙어 있네.

뜯어
버렸어….

레몬과 소금도
곁들여
드릴까요?

어서
오십쇼.

쿠엘보,
쇼트로
주세요.

아뇨….

아뇨
…

한 잔 더
드릴까요?

테킬라
나왔
습니다.

92

마ㅡ쉬!

하나뿐
이죠.

저희 가게는
딱히 까다롭지
않습니다.

조건이
대충 어떻게
되죠?

저…
여기서
공연하려면

흐ㅡ음
….

물론 가게
홈페이지에도
공지로
적어놨지만요.

한 열다섯 명쯤
불러 모을 수만
있다면 누구든
오케입니다.

손님만
불러 모을 수
있다면.

망할
놈의
노인네.

18세는
조건
미달이라는
얘기군?

우리 얘긴
아무것도
적어놓지
않았던데.

또 오겠습니다.

예.

···계산서 드릴까요?

잘 마셨습니다.

18세의 재즈 나

사와베

다

메

파앙

짤 으르 즈

94

18세의 재즈 나이트

사와베 유키노리   피아노
타마다 준지   드럼
미야모토 다이   색소폰

9월 18일
공연 시간 19:00
장소
세븐 스팟

꺄악

바로 요 옆
가게에서
라이브를
합니다!!

오늘
7시부터
재즈 공연이
있습니다!!

목 다
쉬겠다…

재즈
라이브를
합니다
—!!

들으러
와
주세요
—!!

잘 부탁
드립
니다
—!!

아무쪼록
잘 부탁
드립니다—!!

어때
좀?

타마다!!

응!!
가자, 개!!

그럼 타마다,
공연 장소로
고—!!

2천 장은
나눠줬어.

이걸로
끝이야.

솔직히
몇 명이나
올 것 같아?

몇 명?

물론이지.

관객.

올까…?

좀 낮게
잡는다
치면─!!

이럴
경우
일부러

좋았어!!
알았다.

중얼 중얼
중얼 중얼

ㅜ...ㄴ...
ㅠㅜ...ㄹ...ㅐㅁ...

중얼
중얼 중얼

중얼 중얼

중얼
중얼

21명.

여유라니까,
타마다!!
고작 20명쯤,
별거 아냐!!

어떡하냐….
나
막 긴장돼!!

21명
올
거야.

꽤
오네!!

우오오~오.

안녕
하세요!!

오늘은…
부탁들
하겠네.

으음….

으…
응.

유키노리
올 때까지
연습하자.
워밍업!!

아직
시간 좀
있잖아…!!

설마…
그야

아무도…
없는데….

아…
네.

너무 아슬아슬해.

알바가 늦게 끝난 탓이라지만

이래서야 내 리허설은 무리겠군.

18:55

안쪽에….

안녕하세요. 오늘 연주할 사와베라고 합니다. 저희 멤버들은요?

? 혹시 우리 어디서….

감사 합니다.

호오….

………

오!!

늦어서 미안!

좀 왔냐?

네가 부른 관객은…?

99

아직은 아무도….

하 하 하 …

점장까지 포함하면 네 명.

가게 단골 손님이 세 명…

100

간다.

유키노리… 타마다.

사람은 한가하지 않다고.

무명의 공연에 모일 만큼

거 봐!!

내 말 맞지?

야, 유키노리…

악곡도 아직 제대로 정리가 안 됐고….

재즈를.

우리들, 지금부터 재즈를 하는 거야.

타마다.

우리들… 폼 나지 않아?

응?

간다!!

무지 폼 나지 않냐고.

우리들,

제45화
MAIDEN
VOYAGE

음.

여기 한 잔 더 나왔습니다.

괜찮으려나…?

입구에 적혀 있잖아? '18세의 재즈'라나 하고.

너, 못 봤어?

젊은 친구들이 나왔는데….

어라라….

박수는 전무.

관객은 세 명….

첫 무대.

내…

이 소중한
날을.

기억해두자.

104

기억해두자.

평생...

열여덟
이라
잖아….

자 자 자,
지켜봐주자고,
따스한 눈으로
말이야.

드럼 치는
친구는
손까지
떨리는 것
좀 봐.

어째…
불길한
예감이
드는데.

105

뭐야…
이거?

109

…저 둘…
색소폰과…
피아노.

아니…
하지만…
저 두
둘은…

드럼 치는
친구는…
따로 논달까,
이미 한계
같은걸….

110

열여덟
이라니….

이
녀석들이…

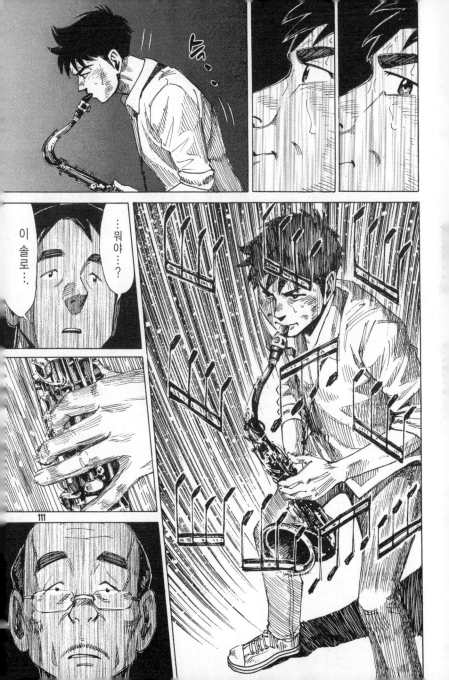

…뭐야…?

이 솔로…

111

결국 이해하진 못했는데…

학생 때… CD 좀 듣긴 했지만…

재즈라…

18세의 재즈 나이트

사와베 유키노리
타마다 준지
야마토 다이

피아노
드럼
색소폰

9월 18일

공연 시작 8:00

장소

사람이 좋아서 탈이야…

JAZZ HOUSE
Seven Spot

나도 참…

소니 롤린즈의 〈뉴크스 페이더웨이〉 였습니다—.

딸칵

〈퍼스트 노트〉 입니다.

어서 오십쇼.

아… 맥주로 주세요.

114

…저 청년이다.

다음은 저희 피아니스트 유키노리가 만든 곡,

타마다가

하자, 해!!

할 거야?

완성도 다 안 된 곡인데…

완전 멘붕 상태인데 …

자신감 상실…

해보자!!

알고 있어… 하지만…

할 거야?

그래도

115

원 투 쓰리 —

원……

원……

원……

원……

딱 딱 딱 딱 딱 딱 딱 딱 딱

타마다.

으…으응

참내…. 쳇….

슥

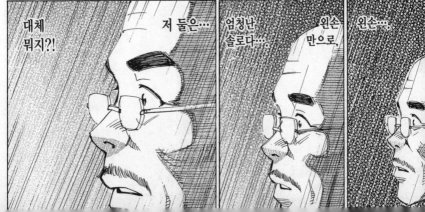

122

엄청난 걸
보고 있는 게
아닐까?

나… 혹시
지금

할 수
없었어.

무엇
하나···

제46화
LET ME
DOWN EASY

'본 무대'에선 존재감이 커지는 타입이야.

정말!!

다이 녀석…

뭐, 어찌어찌 알곤 있었지만…

과연….

다이의 연주에 기백이 더해져.

감사 합니다!!

남이 듣는 앞… 다른 사람 들으라고 연주하는 '본 무대' 때는

평소보다 체격까지 더 크게 보이더라니까….

신기하게도

실제로… 오늘 연주 중에는

127

완전히 넘어가버렸어. 나 이거야 원.

덩달아 나까지 약간 진심으로 연주하게 되지 않나….

성가셔
죽겠네.

아~아~아.

타마다…
넌 존재가
너무 작아!!

반대로
너무
작아!!

128

짝 짝 짝
짝

짝 짝
짝 짝

짝 짝
짝 짝

정말!!

언제까지 그러고 있을 거야, 멍청아.

감사합니다!!

하지만… 관객 분들이 박수를!!

네가 한도 끝도 없이 꾸벅꾸벅 그러니까 박수를 그만두지 못하는 거야. 가자, 가.

x

감사합니다!! 감사합니다!!

이만 가자.

끝났어.

야, 타마다!!

…응?

'응'은 무슨 '응'!!

129

오늘은
초밥집
야간 근무.

나도야.

아~
알바 할
생각 하니
피곤해
죽겠네.

뭐랄까~….

유키노리
너도
현장이야?

그야
그렇겠지…

…행….

밤새
불고 싶은
기분인데.

난
어째

마실래?

타마
다…

…응.

아니…
됐어….

…응…?

나랑
똑같아….

그때의…

똑같아….

찬
싹

타마다.

131

가자.

여어!!

오, 나왔다, 나왔어.

정말 감사합니다!!

감사합니다.

그러셨나요….

별 생각 없이 온 건데 진짜 좋았어!!

응!!

그렇지?!

거 참~ 좋았다니까!! 좋았어!!

132

진짜 열여덟이야?

자네들,

최고야!!

거 참, 색소폰이랑 피아노!!

거 참~ 믿기지가 않네~.

예. 다들 열여덟입니다.

죄송합니다.
저희가
이담에 또
알바가 있어서.

자네들에 관해
좀 더 자세하게
가르쳐달라고,
한잔 살게!!

아뇨,
그게…

평소 어디서
연습들 하나?
재즈 연구회?
서클?

아뇨….

피아노 치는
친구는?
자네, 사실은
프로지?

에이…
자네들 이름
검색해본다.
나?

가,
감사합니다!!

거 참~
의자에서
펄쩍 뛰어오를
뻔했다고,
자네 색소폰에!!

133

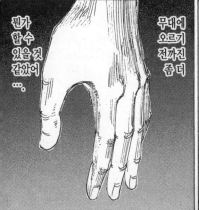

뭔가
할 수
있을 것
같았어
….

무대에
오르기
전가진
좀 더

좀 더…

솔직히…

실패로밖에
응답해주지
못했어.

유키노리랑
다이의
걱정스러운
시선에

하지만
아무것도
할 수
없었던
정도가
아니라…

나 혼자만의
것이 아니라…
모두의
것이었는데….

하지만
그때는
패배도,
분함도,

축구에서
졌을 때도
분했지만…

거 참~
자네들
완전
최고야!!

가,
감사
합니다!!

…암요.

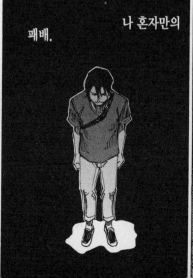

패배.

나 혼자만의

지금은…
나 혼자.

축구밖에
안 해온
주제에…

난…

걔넨
지금까지
쌓아왔거든요,
착실하게.

걔넨…
끝내주죠.

재즈를
해보고
싶다느니…

드럼을
쳐보고
싶다느니…

완전 바보
아냐…?

나…

나 기억해요?

미야모토 씨.

그럼 저흰 이만…

모치즈키 씨…!!

…모…

전단지… 고마웠어요!!

136

감사합니다!! 모치즈키 씨, 사랑해요!!

저 엄청 기뻐요—!! 진짜로요, 모치즈키 씨!!

와 주셨군요!!

10퍼센트 확률의 모치즈키 씨!!

꽈악

자리에서 벌떡 일어나지 않을 수가 없는 게…

그럭 저럭

어쩐지… 송두리채로 뒤흔들리는 것만 같은 기분이 들어서…

재즈 라이브는 처음 봐요.

난…

굉장하더군요, 진짜배기 재즈라는 건!!

깜짝 놀랐지 뭐예요!!

…모…

찌ㅡ잉

고마워요, 미야모토 씨.

137

기막히더군, 사와베 군.

이거 이거 이거.

짝 짝 짝 짝

참 내, 뭐 하는 거람, 다이도 참…

꽈악

모치 즈키 씨!!

실력도 확실한 데다 어른의 귀에도 먹혀들 만한 레벨이라는 뜻이야, 내 말은.

자네라면 언제든지 여기서 공연해도 환영이야!!

진작 그렇게 얘기를 하지~ 나한테.

자네랑 색소폰 부는 친구가 그런 레벨이면

……

레벨이라는 말씀은…

자네들, 좀 수정이 필요한 것 같은데….

노파심에 하는 말이지만서도,

개런티 지불은커녕 솔직히 마이너스이지만 말이야….

다만… 모이는 손님 수가 오늘 정도밖에 안 되어서야

예?

잠깐 귀 좀….

138

…엥…?

약간만 좀 수정한다면 ―.

이러쿵 저러쿵.

그 점을 말이야,

드럼 치는 친구 말이야, 그 드럼으로는 안 되지 않겠어?

이러쿵저러쿵 하실 것 없습니다.

저희 멤버에 관해서는

맞다.

야, 다이!! 이만 가자!! 야!!

·········

달 칵

·········

조율이 좀 필요 하겠 더라 고요.

피아노,

꿀렁꿀렁 하더군요.

애송이 주제에 감히 한말씀 드릴 것 같으면

…꿀렁?

어쩔 수 없잖아.
나 돈 없어.
좀 이따 알바도
가야 하고.

뭐야아아
아아아?!
기념비적인
날에
자판기
뒷풀이?!

타마다
넌?

난
콜라!!

어쩔 수
없지.

휴우~우.

역시 자판기가
제일이라니까.

말은
그렇게 해도
돈 없는 건
나도
마찬가지고.

140

난...
아무거나
...

그럼...

...응...?

야ー.

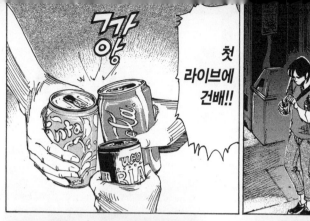

첫
라이브에
건배!!

그럼!!

히끔...

꾸꺽
꾸꺽

관객,
통
안 왔어!!

참
쌀

거 참~
그건 그렇고
진짜
안 오더래!!

야.

씨익

응...

꾸꺽
꾸꺽

아니, 하지만 왔잖아. 한 사람은 왔어!! 모치즈키 씨는 왔다니까.

올 리가 있냐.

내가 뭐랬어, 멍청아.

응.

아, 그래. 다시 말해 2천 분의 1이란 말이지?

토탈.

몇 장 나눠 줬는데?

2천 장…

…2…

2만…이 아니라 20만…장?

응? 그게―.

전단지를 몇 장 나눠줘야 부를 수 있지? 100명이면.

부르고 싶거든~…. 한 100명은.

난 말이야, 다이.

그… 그치만….

으….

얼마나 틀린 접근이었는지 알겠지?

틀렸다니까!! 네 방식은!!

알겠어? 다이.

…그치만.

너무 제멋대로야!! 제멋대로 라이브도 결정하고, 제멋대로 전단지도 나눠주고!!

그치만은 무슨 그치만!! 다이!! 넌 말이야!!

미안.

큭….

이런 방식으로는 안 돼!! 너한텐 더 이상 못 맡겨!! 내 말 알아듣겠지!!

완전
개떡
같았어….

내 드럼…

나…
미안.

너희
발목을
잡아서…

개떡만도
못했지….

아니…

144

빠져야
겠어.

나…

타마
다
…

야…

...응?

125회.

세 번째 곡까지 네가 삐끗한 횟수,

미스한 횟수가 125회.

145

솔직히 말할게.

너무 많았 거든.

세 번째 곡 이후론 안 셌어.

아얏!!

다이의 연주도 상대해야 했고....

꾸악

생각한
것보다

나쁘지
않았어.

뭐…?

· · · · · · · · ·

146

좋았어…

…응.

다이.

그렇지?

누가
뭐라고
하든…

좋은
라이브였어.

뭐라고
하든.

누가

147

나도
가야
하는데!!

으악!!

으악,
나 알바
간다.

148

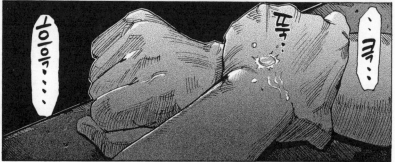

흡쩍···

큭····

슥삭 슥삭 슥삭

뭐였냐고
····

············

흐우ーー!!

뭐야····

151

안녕—.

늦어서
미안—!!

가자,
개!!

아싸,
아싸!!

워밍업하고
있었어.

응!!

152

너…
괜찮아?
칠 수 있….

아직 얼마
안 됐는데

타마다,
너
말이야.

어디
보자,
어디….

당연한
소리!!

여유!!

여유지!!

아싸!!

철컥.

어라?!

· · · · ·
· · · · ·
!! · ·

빠

빠

빠

빠빠

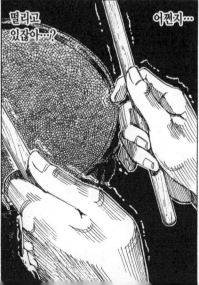

떨리고 있잖아···?

어쩐지···

…어쩌지

전혀…

재 재 재 재

앙 앙

쟁쟁 앙 쟁 앙 쟁

재 재 재 재

앙 앙 앙 앙

쟁 쟁 쟁 쟁

리듬을
맞출 수가
없어…!!

부탁
할게!!

다시 한 번
처음부터!!

미안, 유키노리!!
나 때문이지?
나도 알아!!

154

잠깐만.

챙 채
챙 채
챙 채
앵앵
챙
챙 챙

왜…?

…젠장!!

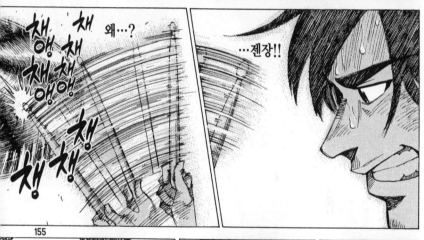

핸드폰…
좀…
가서
가져 올게.

아… 나…
깜빡했는데
…

……

타마다.
잠깐.

너
때문이야.

먼저
하고 있어!!
금방 올게!!

네가
관객 앞에
끌어냈잖아…

조금이나마
칠 수 있게 된
녀석을,

뭐어?

·······

〈퍼스트 노트〉
의 테마
연습하자!!

타마다
한테는.

너무
일렀어.

156

·······

157

내가
대체….

어떻게 된
거냐고…

어떻게 된
거지…?

뭐야,
이게...?

쫄아서
손이 꼼짝도
않다니...

삐삐삐

삐삐삐

·········

후우——····

158

삐삐

삐삐삐삐삐
이이이

아.

안녕 하세요—.

악기?

삑! 삑!

안녕.

아… 전 1학년이라… 아직.

그런데, 트럼펫은?

호오~?…

그거 악기?

네가 불고 있는 거…

트럼펫에 다는 거예요.

아, 예. 마우스피스 라고 하는데

159

트럼펫 본체는 아직이에요….

전 초보자라서 가을까지는 마우스피스만….

초등학교 때부터 악기를 연주해온 사람은 여름부터 불 수 있지만

아니, 저희 중학교 밴드 부가 엄청 엄격해서요.

응?

트럼펫을 건들기만 해도 선배한테 호되게 혼나요.

네… 지금은

그럼 계속 그… 마우스 어쩌고 하는 걸…?

흐—음.

기대 돼요.

하지만 가을이 되면 트럼펫을 불 수 있으니까

그래 뭐…

호오~

160

아, 네… 안녕히 가세요.

열심히 해봐라….

그건
아니지
않나?

'열심히 해라' 가 아니었어.

미안!!

나라면 그렇게 할 거야.

선배 말이야, 날려버려.

네… 네에?

날려 버리자.

내가… 타마다를 나 몰라라 한 거라고?

：：：
?
：：：

내 말은 그것 뿐이야!! 그럼!!

타마다를
나 몰라라
하고
가버린
거야.

넌 그냥
타마다를
버려두고
연주하기
시작했지.

나름
배려했지만
소용은
없었고,

그런
거야.

'그렇게'?
어떻게
했는데?

하지만…
그땐
그렇게 할
수밖에….

흐—음…
괜찮다
이거야,
그럼?

난
틀리지
않았어!!
관객들도
박수
쳐줬다고.

뭐, 결과적으로는
나도
나 몰라라 하고
가버린 셈이지만
말이야.

안 그럼
라이브를
계속할 수
없었잖아.

야.

나랑 너
둘이서 연주할
수밖에….

긴장해서
벌벌 떠는
불쌍한
타마다 군을.

넌
나 몰라라
한
거라고.

나랑 너만, 우리 둘만 갈채에 휩싸일 수 있으면 괜찮다?

박수만 받을 수 있으면,

셋이서 박수를 받을 수 있게 노력하면 될 일이잖아.

그건 걔가… 타마다가 열심히 해서

타마다 군은 이만 빼도 말이야. 내 말이 틀려?

그럼 이제 상관 없겠네?

그건 뭐?

아니… 그러니까 그건!!

난 덩크 슛은 못해.

있지.

아무리 열심히 해봤자 안 되는 것도 있잖아?

저기 말이야, 다이.

열심히 하는 수밖에 없어!!

무슨 일이 있어도 박수를 받아야 해.

타마다한테는 드럼이었다면 어쩔 건데?

그 덩크 슛이

오늘
타마다
얼굴 봤어?

우릴 위해
열심히 하게
시켜도 되는
거야? 응?

아무리
열심히 해도
안 될지도
모르는 걸,

우릴 위해
열심히 하고
그런 표정까지
지어도
괜찮냐고.

다이 넌
타마다가
그런
표정을
지어도
괜찮아?

그게?!
그렇게 싼한
거짓 미소가
웃고 있는
것처럼 보여?!

…웃고
있었어.

165

자기 자신을
위해
해야 하는 것
아닌가?

열심히
한다는 건
본인을
위해,

타마다는…
웃고 있었어.

뭐어?

· · · · · · · ·

갠…
웃고
있었다고
믿어.

열심히 지어낸
표정이지만…
난 믿어.

166

Jazz
TAKE TWO

한번
죽어봐야
쓰겠다.

믿어.

난…
타마다의
노력을,

너
말이야.

다이…

167

진한 라멘
특대 사이즈랑
교자
나왔습니다!!

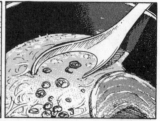

169

170

마츠모토의 재즈 페스티벌 에서였지….

그 친구를 처음 본 건 2년 전 여름.

고요한 요염함이라고나 할까….

게다가

도무지 고교생이란 생각이 들지 않는 기술과 정확성.

173

이런 데서….

내 오퍼를 거절하다니 원.

Jazz Spot J

…참 내.

제48화
I'LL SEE YOU AGAIN

DAI MIYAMOTO   YUKINORI SAWABE   SHUNJI TAMADA

JASS

175

176

177

…있군.

사와메
군이야.

열성
팬인가?!

········

사와베
군의
솔로는

오오....
역시
실력
한번
내
끝
주는
걸.

179

'재즈'입니다!!

안녕하세요...

아— 음...

바—보.

'재즈'입니다!!

너 오늘 벌써 몇 번째야, 그거.

시끄러, 다이.

나도 알지만...

나도 알아...

알겠습니다...

올드 파락으로.

멍하니 서있었잖아...

정신을 차리고 보니 내가...

182

아… 카와키타 씨 맞으시죠?

기타리스트 이신.

미야모토 군의 연주를 들으러 오셨는지?

카와키타 씨도

…? 미야모토?

저희 가게를 찾아주셔서 감사합니다.

으음ㅡ.

그럼 타마다 다음 곡의 템포 만인데…

…아니…

모르겠수다, 저 친구는.

예, 테너. 지금 마이크 잡고 있는 저 친구죠.

183

그럼 다음 으로는 저희 피아니스트 유키 노부가 만든 곡을

호오ㅡ.

좀 거칠긴 해도 기세가 있는 게.

꽤 괜찮다 니까요, 저 친구들.

관객 수는 그렇게 많지 않지만

저희 가게에서 공연하는 건 오늘이 두 번째인데…

어디 대학 재즈 연구부 같은 덴가?

요!!

엄청 젊은 애들이 와 있는데

이예에 ~이!!

20대… 잘해야 30대 회사원?

저기 저 4인조들

와—아!!

재즈 답지 않은 관객층 이군….

훌짝…

저 영감님 하나만 제대로 된 재즈 팬처럼 생겼어.

유일하게…

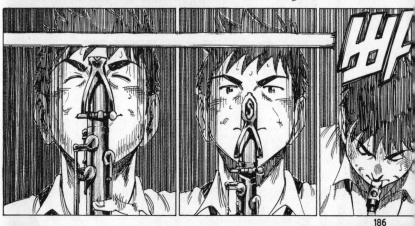

186

다시
한 번!!

왜?!

그렇게
들어가는
건
질렸어!!

188

열광하는
건가?!

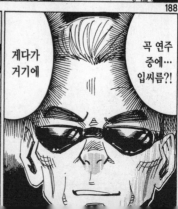

게다가
거기에

곡 연주
중에…
입씨름?!

뭐냐고?!

다이!!

지금 할 거야!!

그러니까!!

다른 걸로 해!!

그것도 골백번은 더 들었어!!

189

자식들이…

또 시작이야.

유키노리 네가 이러쿵저러쿵 자꾸 쪼아대서 집중을 할 수 없잖아!!

그럼 얼른 내놔, 새 프레이즈를!!

잘 한 다 !
응 ! 이 짝 ! 해 !

191

힘찬
솔로—

쯤
더

쯤
더

쯤
좋아

올라갔다…… …1단

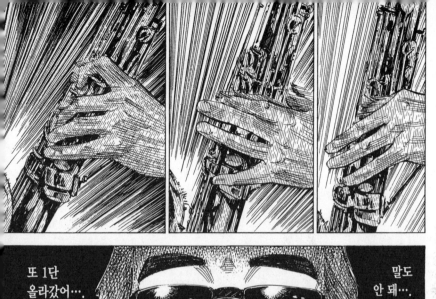

또 1단
올라갔어….

말도
안 돼….

193

194

난

거기서
더 올라가는 걸
보고 싶지만
말이야…

195

마스터,
기타 있수?

…이거라도
괜찮으시다면.

기타—
…?

내 잠깐
지러 갔다
와야
쓰겠군!

다음 권에 계속

BONUS
TRACK
1

일류가 되기 위한
계단 같은 건
분명 있지.

늘
의식했더랬어.

그걸
그 친구는

나한테
'진지하게 부탁하고
싶은 것이 있다'
면서
찾아왔을 때…

평소에는
절대로 드러내지
않지만
딱 한 번,

공통되는 기질이랄까, 버릇이랄까. 그걸로 말할 것 같으면

계속해서 이겨나가는 사람의 공통점이 있는데 말이야.

계속해서 이겨나가는 사람은 절대로 과거를 돌아보지 않아. 절대로.

돌아보지 않는다는 거야. 이기는 사람은.

난 이제 됐거든, 이기고 지는 건 .

나? 난 옛날 동료 말곤 누구와도 함께하고 싶지 않아.

그러니까 그 둘이 다시 한 번 함께하면 좋겠다는 생각은 들지도 않고, 하지도 않아.

분명 그 색소폰 부는 친구도 그런 사람일 거야.

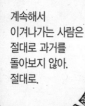

Moto Kawakita

Jazz Live in Kanazawa

2014
유니버설
클래식 & 재즈
<재즈의 100장
PART2>
팸플릿 게재
단편

201

202

203

SAKOPHONE **COLOSSUS**

205

206

음악
이야?

무슨...

재즈.

영 코믹스

BLUE GIANT 6

2017년 7월 31일 초판 발행   2023년 11월 14일 3쇄 발행

저자 ········ Shinichi ISHIZUKA

번 역 : 김동욱   발행인 : 황민호
콘텐츠1사업본부장 : 이봉석
책임편집 : 장숙희/김정택
발행처 : 대원씨아이(주)
서울특별시 용산구 한강대로 15길 9-12 전화 : 2071-2000 FAX : 797-1023
1992년 5월 11일 등록 제1992-000026호

ISBN 979-11-334-5494-5 07830
ISBN 979-11-5754-065-5 (세트)

가족을 구성할 권리

가족을 구성할 권리

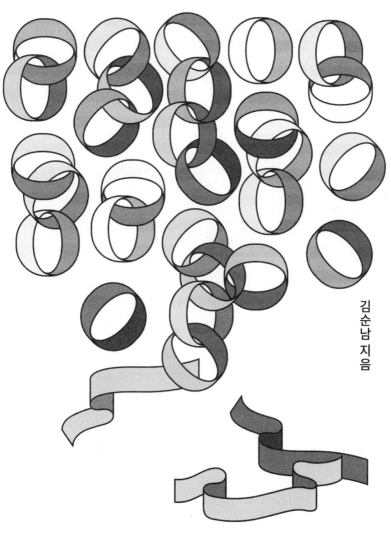

김순남 지음

오월의봄

혈연과 결혼뿐인 사회에서 새로운 유대를 상상하는 법

가족은 어떻게 저항의
언어가 될 수 있을까

우리는 '무엇이 비정상적인 가족인가'를 정의하는 것보다 '무엇이 정상적인 가족인가'를 정의하는 게 점점 더 어려워지는 시대에 살고 있다. 시민들은 이미 하나의 가치나 형태모델로서의 '가족'에 국한되지 않은, 다양한 방식으로 상호의존과 돌봄을 실천하는 관계를 맺으며 살아가고 있다. 오늘날 가족과 친밀성은 1인 가구의 증가, 비혼의 장기화와 함께 혈연 중심의 법적 가족을 넘어선 다양한 방식의 관계성으로 가시화되며 또한 재구성되고 있다.

이에 따라 가족형태를 둘러싼 제도적 불평등을 해소하려는 정치적인 움직임들 또한 봇물 터지듯 일어났다. 부모의 자녀 체벌을 허용했던 친권 징계권의 폐지,* 신혼부부나 1인 가구만이 아니라 다양한 관계성에 기반한 주거권운동,** 생활동반자법***이나 동성결혼 법제화에 대한 요구, 이성부부·혈연을 넘어서 내가 지정한 사람이 보호자가 될 수 있게 해달라

---

* 한국의 「민법」 제915조에는 '자녀를 보호 또는 교양하기 위해서 필요한 징계를 할 수 있다'는 징계권 조항이 있었다. 이 조항은 부모의 체벌이나 지나친 훈육을 허용하는 근거로 오인되어 아동학대로 이어진다는 지적이 꾸준히 제기되었고, 2021년 1월 8일 민법개정안이 통과되면서 63년 만에 삭제되었다.

** 이러한 주거권운동의 대표적인 단체로는 청소년주거권네트워크와 성소수자주거권네트워크가 있다.

*** 서로를 부양하며 돌봄관계에 있는 동반자관계를 법적으로 보호하는 제도. 2014년 진선미 의원이 제정을 추진하였으나 발의까지 이르지는 못했고, 2022년 현재 정의당을 비롯한 진보정당에서 제정 의지를 다지고 있으나 구체적인 입법 추진으로는 이어지지 못하고 있다. 생활동반자법에 대한 자세한 논의는 다음의 책을 참고하라. 황두영, 《외롭지 않을 권리》, 시사IN북, 2020.

는 삶의 결정권에 대한 요구,* 부양의무제 폐지, 장애인 탈시설, 재생산권 등 가족을 둘러싼 다양한 불평등에 대한 인식과 함께 전개된 의제들은 가족을 정치화하는 흐름과 교차하는 지점에 있었다. 정치권과 언론은 저출생, 1인 가구 증가, 비혼 증가, 고독사 증가, 돌봄 공백 등의 문제를 마치 한국사회의 '새로운 위기'인 양 호명하지만, 이는 사실 '새로운 문제의 출현'도, '새로운 문제적 집단'의 등장도 아니다. 현재 사회의 '위기'로 호명되는 여러 현상은 누적된 불평등과 차별의 결과이며, 따라서 이 책은 이를 정확하게 해석하는 것에서부터 새로운 사회를 재구성하는 질문을 시작하고자 한다.

고립, 단절, 위기라는 말이 전례 없이 우리의 일상을 지배하고, 가족변동 속에서 발생하는 외로움과 빈곤 등의 문제를 개인의 책임으로 보는 신자유주의적인 시각 또한 공고하다. '취약가족' '위기가족'이라는 말을 일상적으로 접할 수 있는 사회에서 '위기'는 너무도 쉽게 이상적인 가족을 갖지 못한 개인의 문제로 축소된다. 인간은 누구나 어느 시기에는 취약할 수밖에 없는데도, '취약함'이 '이상적인 시민'으로부터 벗어난 특정 인구집단의 특성으로 정의되어 그들만의 문제로 소환된다. 우리는 어떻게 하면 '취약함'을 제대로 바라볼 수 있을까? '이상적인 가족을 갖지 못해서' 취약한 것이 아니라

---

* 이와 관련한 제도로는 '내가 지정한 1인'이 있다. 이는 현행법상 가족으로 인정되지 않더라도 내가 지정한 1인이 의료, 돌봄휴가, 연명치료, 장례 등에서 대리인 역할을 할 수 있도록 하는 권리에 관한 것이다. 자세한 내용은 85~86쪽을 참고하라.

누구나 취약하기 때문에 서로 의존하고, 연대하고, 유대할 수 있는 사회를 상상하고 실천해내야 한다는 이야기를 어떻게 제대로 나눌 수 있을까?

이 책의 가장 기본적인 전제는 가족문제가 공적인 영역과 분리되는 가족 안의 문제가 아니라 사회구조적인 불평등과 연결된 사회적인 의제라는 것이다. 이에 따라 오늘날 활발한 가족변동 상황은 가족구성권이라는 개념을 통해 사회를 재구성하는 사유의 출발점이 될 수 있다. 아직 많은 이에게 낯선 개념일 가족구성권은 말 그대로 '가족관계를 구성할 권리'를 뜻한다. 이 권리는 구체적으로 무엇이며 왜 중요할까? 우선, 가족구성권의 보다 상세한 정의를 보자. 가족구성권연구소는 가족구성권을 "다양한 가족의 차별 해소와 모든 사람이 원하는 가족·공동체를 구성하고, 차별 없는 지위를 보장받을 수 있는 권리"로 정의한다. 이는 즉, 가족과 가족 사이에 차별이 존재하며, 가족을 구성할 권리 또한 평등하게 보장되지 않고 있다는 이야기다.

가족구성권이란 개념은 1948년에 채택된 유엔 세계인권선언 제16조 1항에서 처음 제시되었는데, 해당 조항은 "성년에 이른 남녀는 인종, 국적 또는 종교를 이유로 한 어떤 제한도 받지 않고 결혼할 권리와 가족을 구성할 권리를 가진다"라고 규정했다. 이는 백인과 흑인의 결혼이 금지되었던 당대의 인종차별적 제도에 대한 문제 제기와 맞물리면서, '모두의 권리'로 보장되지 않는 가족구성의 현실을 인권문제로 제기한 최초의 조항이었다. 이후 2006년, 25개국 29명의 국제인권법 전문가들이 정교화하며 성소수자 관련 국제인권 기준을 총 29가지의 원칙으로 나열하고 기술한 요그야카르타 원칙 **Yogyakarta Principles** 선언 또한 동성결혼이나 가족구성을 인권문제로 확대하는 중요한 전환점이 되었다.[1]

가족을 정치화하는 가족구성권은 단순히 가족으로 인정되지 않는 관계들을 가족으로 인정해야 한다는 데서 그치는 이야기가 아니다. 물론 그것도 중요하지만, 앞서 가족구성권의 정의에서 살펴보았듯 가족구성권은 근본적으로 가족을 둘러싼 여러 갈래의 복합적인 차별 해소에 대한 접근을 요청한다. 다시 말해, 사회가 상상해오고 권장해온 '가족'의 의미와 가족모델은 무엇인지, 그것이 한국사회에서 '시민'으로 가정되고 상상되는 이들의 모습과 어떻게 연동되어 있는지, 제도가 어떻게 공동체의 구성원이 될 수 있는 사람과 없는 사람을 구분하는지 등 여러 갈래의 질문들이 제기되어야 한다는 것이다. 그 이유는 한국사회에서 '시민'으로서의 삶과 자격이 부여되는 데 이성애규범적인 가족중심 시민모델이 핵심으로 작동하기 때문이다.

이성애규범적인 가족중심 시민모델은 시민들이 제도적 가족 안에서 태어나고 제도적 가족 안에서 생을 마감한다고 보며, 시민 개인의 생애를 가능하게 하는 돌봄, 경제적인 협조, 정서적인 유대 등이 모두 이성 간의 결혼을 중심으로 한 가족단위 안에서 가능하고 그것이 '당연하다'고 보는 인식을 전제한다. 나아가, 그러한 개인들만이 '시민'으로 상상된다. 이러한 사회에서는 내가 어떤 가족관계를 맺고 있느냐에 따라서 '나'라는 개인의 삶이 판단되고 차별에 연루될 가능성이 짙어진다. 이상적인 가족형태와 이상적이지 않은 가족형태의 경계는 결혼 여부, 성적 지향, 성별정체성, 장애, 국적, 경제적 상황, 나이 등 사회적인 조건에 따라서 공고해지고, 따라서 어떤 가족이 '이상적인 가족'인가 하는 문제는 어떤 사람이 '이상적인 시민'인가 하는 문제와 긴밀히 연결되어 있다. 즉, 이성애규범적인 가족중심 시민모델이 작동하는 사회에서 퀴어, 장애인, 비혼여성, 싱글맘, 빈민 등 '이상적이지 않은 시민'들은 곧 '이상적인 가족을 갖지 못한' 이들로도 간주되며, 이들은 말 그대로 '뒤처진 존재'이자 보이지 않게 가려져야 하는 존재들로, 즉 중요하지 않은 시민으로 여겨진다.

사회에 이로운 생명과 이롭지 않은 생명을 구분하는 생명정치*에 기반한 가족정치의 핵심은 불평등의 원인을 국가가 규정한 '비정상적인 집단'의 속성으로 만들어, 상호의존의 공동체와 상호의존의 생태계를 구축해야 하는 사회의 역할을 보이지 않게 하는 것과 함께 최대한 방기하는 것이다. 생명정치에 기반한 가족정치는 개인의 삶뿐만 아니라 그 개인이 맺

---

* 푸코는 인구의 정상화와 최적화에 관여하는 생명정치의 장으로서 '인구'를 발견하고, 삶이 정치적 개입의 대상이 되는 과정을 통치성의 영역으로 이론화했다. 이러한 맥락에서, 조은주는 《가족과 통치》(창비, 2018)를 통해 가족이 사회적으로 정상과 비정상을 구분하고 인구변동이나 출산율, 소비의 영역에 이르기까지 "인구의 통치를 위한 특권적인 도구"가 됨을 지적하며 가족이 생명정치의 중요한 축으로 자리한다고 분석했다. 즉, 태어나고 죽고 병들고 결혼하고 아이를 낳는 등의 구체적인 삶의 과정이 출산율과 사망률, 혼인율과 가계수지 통계 등으로 드러나는 생명정치와 만나는 지점이 바로 가족이라는 것이다.

고 있는 관계성에 대한 불인정으로도 이어지며, 이는 다시 '시민으로서의 자격이 없다'는 '근거'로 활용되고 차별을 정당화하는 논리로 동원된다.

이러한 맥락에서, 새로운 사회적인 유대와 다양한 관계에 대한 인정 요청은 사람들이 "이미 가지고 있는 권리를 현재의 제도가 단지 인정하고 존중하기를 요구하는 것이라기보다는 모든 이에게 권리 주장이 가능해지는 세계를"[2] 만들어내는 과정이어야 하며, 이는 온전한 사회 구성원으로서의 자격을 심문하는 사회에 대한 물음으로 이어져야만 한다. 한나 아렌트[Hannah Arendt]가 제시한 '권리를 가질 권리'는 '자신의 권리를 누릴 수 있는 시민과 권리를 박탈해도 된다고 구분하는 사회'에 개입하는 것이며, 사회공동체의 일원이 될 권리로부터 벗어난 존재들의 삶을 가시화하는 중요한 개념이다.[3] 이에 따라 이 책에서 말하는 가족구성권은 기존의 '주어진 권리'를 획득하는 차원의 개념이 아니라, 가족을 매개로 강제되어온 삶의 방식, 관계의 방식과 가족을 매개로 부여하는 '이상적인 시민'의 자격을 해체하는 개념이다.[4]

이처럼 가족을 정치화하는 이 책은 새로운 친밀성의 가능성을 모색하는 동시에 모두의 가족구성권이 실현 가능한 세계를 상상하기 위해 다음 세 가지 차원의 논의를 펼쳐보고자 한다. 첫째, 이 책은 특정하게 강제되는 관계성이 자연스러운 가족질서로 여겨지는 데 개입하고자 한다. 사회적으로 '이상적인 가족관계'에 대한 상상은 '이상적인 시민'에 대한 상상과 긴밀하게 연결되어 있다. 성별이분법, 동성애혐오, 성별 권력, 신체정상주의, 인종차별에 기반한 '이상적인 가족', 다시 말해 '가족의 정상성'은 가족 '안'의 이슈가 아니라 사회가 이 상적인 시민을 상상하는 방식과 연동된다는 점에서 가족 '밖' 의 이슈다. 결국, 가족을 정치화하는 것은 새로운 시민적 유대 와 친밀적 결속에 기반한 사회를 구성하는 것과 연결되어 있 다. 둘째, 기존 가족질서를 넘어선 새로운 가족실천을 문제화 하고 낙인찍는 현재 한국의 가족제도를 비판적으로 살펴보며 제도적 한계에도 불구하고 다양한 실천으로 가족 밖을 모색 해온 이들의 삶에 주목하고자 한다. 지금까지 가족규범을 넘 는 존재들은 주로 여성이나 퀴어 등 소수자들이었는데, 이들 은 가족제도 안에서의 불평등을 가장 먼저 체감하며 가족제 도와 불화하면서 새로운 삶의 가능성을 모색해온 존재들이기 도 했다. 이러한 지점에서, 가족규범과 불화하는 '퀴어한 삶과 관계'들이 어떻게 사회를 다시 만들어가는 주체가 되는지에 주목해본다. 셋째, 가족제도 불평등은 다른 사회적 차별들과 교차하면서 작동한다. 혈연 등 제도적 가족을 떠날 수 있는 권리와 전통적인 '그 가족'을 넘어 다양한 방식으로 의존할 수 있는 권리는 탈시설, 주거권, 재생산권, 돌봄정의 등 다른 사 회적 의제들과 연결될 수밖에 없다. 그러므로 가족을 정치화 하는 것은 이성애규범적인 가족중심 시민모델을 넘어 나로서 살고, 나로서 연대하고, 나로서 함께할 수 있는 존재로 출현할 수 있는 사회를 만들어가는 일이기도 하다.

정리하자면, 가족을 정치화한다는 것은 가족 안에서만 존재하도록 강제된 삶이나 '퀴어하고' '불구화된' 존재들의 삶이 공적으로 동등하게 출현할 수 없도록 하는 조건을 바꾸자는 것이다. 가족구성권의 실현 역시 그러한 출현이 당도한 세계를 의미한다. 다음 A의 이야기에서 드러나듯 공적으로 '출현할 권리'*는 상호의존의 생태계를 함께 구축하는 과정에서 실현될 수 있다.

> 야학이라든가 공감[장애여성 인권운동단체]을 몰랐다고 하면 아예 독립 자체를 시도도 못했을 거예요. 장애인, 저 같은 중증장애인이 어떻게 혼자 나와 살 수 있지? 그거에 대해 전혀 고민을 못했을 거고. 그리고 가족 외에 절 지원해줄 수 있는 사람이 있을 거라고 생각을 못했을 거고. 내가 독립을 하겠다 했을 때 지지해줄 수 있는 사람을 못 만났다면 [혈연가족을 떠나는 건] 생각조차 못했을 것 같아요. (장애여성 1인 가구 A)**

---

* 주디스 버틀러(Judith Butler)가 논의한 '출현할 권리'는 구속받아왔거나 위험에 처했거나 폭력에 놓인 많은 취약한 신체들이 공적으로 출현하는 것을 의미한다. 버틀러는 그러한 출현의 과정이 새로운 '우리'를 발견해가는 상호의존의 정치적인 장으로서 작동한다고 말했다. 또한 우리가 살 만한 삶을 유지하기 위해서 사회적 관계에 의존하고 있다고 말하며, 관계들의 집합 속에서 삶이 가능하고, 불안정성과 취약성이 잠재적 연대와 연결의 조건이 된다고 강조한다. 장애인이 거리에서 이동하고, 젠더규범과 불화하는 성소수자가 있는 그대로 사회에 출현하고, 주거할 권리를 요청하면서 정주권을 획득하는 일련의 과정들은 보이지 않는 신체의 출현이며, 그 출현은 취약성을 사회변화의 조건으로 만들어내는 과정이다. 주디스 버틀러, 《연대하는 신체들과 거리의 정치》, 김응산·양효실 옮김, 창비, 2020.
** A는 24세에 독립하여 오랜 기간 1인 가구로 살고 있다. 그는 일상을 나누는 친구와 인권단체의 존재가 원가족을 떠나서도 살아갈 수 있는 토대가 되었다고 여긴다.

공적으로 '출현할 권리'는 사적인 자리에만 머물러서는 실현 불가능하다. 즉, 가족 안에서만 삶의 자리가 존재할 때 인간의 고유성은 상실될 수밖에 없다. 이러한 지점에서 우리는 가족을 저항의 언어로서 사유할 필요가 있다. 저항의 언어로 가족을 사유한다는 것은 보이지 않던 존재를 보이게 하고 들리지 않던 목소리를 들리게 함으로써, 시민의 삶을 고립화하고 단절해온 이성애규범적인 가족중심 시민모델을 질문하고 해체하는 과정일 수밖에 없다. 기존의 가족규범을 해체하고 재구성하는 개념으로 가족구성권을 사유하는 이 책이 새로운 관계, 돌봄, 연결을 상상하고 조직하는 데 힘이 되길 간절히 바란다.

필자는 '퀴어정치'를 여성/남성, 이성애/동성애, 비장애인/장애인, 선주민/이주자, 시스젠더/트랜스젠더, 정상가족/취약가족, 생산적인 인구/쓸모없는 인구 등을 구분하는 데 작동하는 '정상성'의 권력을 해체하는 의미로 쓴다. 퀴어정치가 이분법과 위계를 해체하고 권력이 교차하는 방식에 주목하는 것과 마찬가지로, 가족제도 안과 밖의 경계를 구성하고 그것을 공고히 하는 권력의 교차점에 주목하는 관점으로 퀴어가족정치를 쓴다. 퀴어이론가 리즈 몬테가리Liz Montegary는 《변태적인 가족들Familiar Perversions》에서 미국의 동성결혼운동을 분석하며 퀴어가족정치학을 정의한 바 있는데, 그에 따르면 퀴어가족정치학이란 정체성을 중심으로 차별받는 대상을 상정해 특정한 대상이 경험하는 차별로서 사안에 접근하는 것이 아니라, 권력이 상호교차적으로 작동하는 구조적인 위계에 주목하는 것이다. 성소수자가 경험하는 차별이나 불평등만이 아니라 이성애규범적인 가족질서에서 불평등으로 연결된 많은 시민의 삶을, 그리고 그러한 삶들의 연결고리를 의제화하는 것이며, 중요하고 소중한 관계로서 제도 안에 들어오지 못하는 관계성들을 의미화하면서 새로운 상호의존의 가능성을 포착하는 것이다.[*]

퀴어가족정치의 핵심은 기존의 가족규범을 변형하고 해체하는 데 있다. 이는 기존의 가족질서에 포섭되는 것이 아니라 새로운 삶의 정치학을 만들어가며 실천하는 것이다. 가족을 불평등의 의제로 삼으며 노동, 빈곤, 성차별 등 다양한 의제와 교차적으로 사유하고, 기존의 '그 가족'을 변형하고자 하는 맥락에 가족을 구성할 권리를 위치 짓는 것 또한 퀴어가족정치다. 따라서 퀴어가족정치는 기존 가족규범에서의 '정상성'을 벗어나는 당사자가 그것 자체로 어떤 관점을 가진다거나 대안을 만들어내는 주체가 된다고 보지 않는다. 리즈 몬테가리는 퀴어가족정치를 논의하면서, 퀴어가 가족을 꾸리거나 아이를 양육한다고 해서 그 자체로 기존의 가족적인 언어와 다른 미래를 만들어가는 것이라고 보기는 어려우며, 또한 그것만으로 가족규범을 전환했다고 보기에도 한계가 있다고 지

---

[*] 리즈 몬테가리의 책은 이 책을 집필하는 과정에서 가족구성권연구소 멤버들과 함께 세미나를 진행하며 많은 영감을 받은 책이기도 하다. 리즈 몬테가리는 2022년 8월 3일 가족구성권연구소에서 주최한 《변태적인 가족들》 북토크에 직접 참여하기도 하며 연대를 표해주었다. 중요한 세미나를 함께한 연구소 멤버들과 리즈 몬테가리에게 이 자리를 빌려 감사의 마음을 전한다.

적했다.[5] 다시 말해, 퀴어가족정치는 가족정치가 기존의 성별 이분법을 해체하는지, 시민적인 유대와 돌봄의 관계망을 확대하는지, 다양한 차별에 기반한 위계적인 관계의 문법을 해체하는지에 주목한다. 생활동반자법이나 혼인평등운동과 같은 가족정치의 장에서 법적인 권리의 획득만으로는 충분하지 않다고 말하며, 어떻게 가족구성권이 다양한 사회권과 연결되어 있는지를 의제화하고 가시화하는 것, 그리고 이를 바탕으로 기존의 가족제도를 근본적으로 변형시키는 것이야말로 퀴어가족정치의 핵심이다. 이러한 관점에서 퀴어활동가 나영정은 가족구성권운동을 다음과 같이 정리한다.

가족구성권운동은 특정한 집단의 권리를 대변하거나 확대하고자 하는 운동이 아니다. 국가에 의한 성과 재생산 권리박탈, 불법화에 저항하고 마땅한 지원을 요구하는 것이며 사회적인 기본권을 책임과 의무가 아니라 권리로서 요구하고, 인간다운 생존 이후에 사회연대를 위한 시민들의 책무를 다시 짜는 것과 연결되어야 하는 것이다. 따라서 '가족구성권'의 이슈들은 여성, 장애, 이주, 성소수자, 노동, 주거, 복지, 자유권과 사회권 등 다양한 운동 영역과 이론 연구에서 포함해야 할 질문들을 담고 있는 것이다.

—나영정, 〈정치적 논쟁의 장으로서의 가족〉,
《가족구성권연구소 창립 기념 발간자료집: 2006-2018》, 김원정 엮음,
2019, 315쪽.

그의 말처럼, 가족구성권운동은 가족제도를 경유해서 작동하는 '박탈된 시민권'의 문제를 교차적으로 제기하는 것과 연결되어 있으며 이는 곧 퀴어가족정치의 관점이기도 하다.

가족을 정치화한다는 것은 '가장 친밀한 관계'로 사유되는 영역을 새롭게 재구성한다는 점에서 급진적인 의제가 된다. 사회적으로 중요하게 지지되지도 인정되지도 않는 관계들은 당연하게도 사회적인 불평등과 연결되어 있다. 특정 관계가 문란하고 난잡하다고 여겨지는 것, 여성은 남성의 배우자로서 존재하고 당연히 아이를 돌볼 수 있으며 돌보아야만 한다고 간주되는 것, 동성 사이의 친밀성을 '한낱 소꿉장난'으로 취급하며 지나가는 관계로 보는 것, 가난한 시민들은 관계가 없는 존재로 간주되는 것, 이주민 또는 장애인이 각자의 삶과 관계를 꾸리면서 지역에서 공존할 수 있는 권리를 박탈당하는 것, 성소수자의 삶을 오직 성적 지향, 성별정체성으로만 환원하면서 이들을 여타의 사회적 관계로부터 단절된 시민으로 간주하는 것과 같은 인식은 모두 가족제도를 경유한 차별과 연결되며 이는 곧 각각의 삶에서 매우 구체적이고 현실적인 여러 불평등으로 드러난다. 퀴어가족정치는 바로 이 '뒤처진 삶과 관계'로 여겨지는 것으로부터 다시 사회를 상상하는, 상호의존과 책임의 네트워크를 구축하는 가능성으로서 '뒤처진 삶과 관계'를 사유해야 한다는 주장이다.

오늘날 많은 사람은 기존의 보호자/피보호자, 정상/비정상, 가정/사회로 그어진 공고한 위계를 질문하고 있으며 제도가 상정하는, 제도의 언어로 국한되는 삶에 대해 느끼는 이질

감과 실제적인 불화 또한 보여주고 있다. 이 책에 담긴 다양한 관계들은 그러한 질문과 불화가 새로운 '사회적인 삶'의 가능성을 만들어가는 현장이자 동질성의 회로에 갇히지 않으려는 개인-되기의 실천과 만나고 있음을 보여준다. 이들의 존엄한 개인-되기의 과정은 주류적인 삶의 가치와 가족규범을 재구성하는 흐름과 만나며, 삶의 영역을 확장하기 위한 다양한 권리운동과 연결된다.

이 책은 다음과 같은 내용들로 구성되었다. 1장은 가족질서의 변동을 포착하며 왜 가족을 재구성해야 하는지를 다룬다. 과거 가족질서로의 회귀는 이제 불가능하다는 것, 따라서 기존의 가족규범을 넘어서는 삶을 상상하는 것이 중요한 사회적 의제임을 말하고자 했다. 2장은 이성애규범적인 가족중심 시민모델을 비판적으로 논의한다. 과거부터 꾸준히 다양한 생활공동체관계가 등장해왔고, 가족의 의미 또한 지속적으로 재구성되어온 것이라는 사실을 드러냄으로써 이성애규범적인 가족모델이 결코 '자연스러운 것'이 아님을 밝힌다. 아울러 가족을 경유해 경험하게 되는 불평등의 양상들을 살펴보면서 시민 간의 유대가 단절되는 현실을 비판적으로 드러내고자 했다. 3장에서는 가족을 정치화하는 퀴어가족정치의 장이 '퀴어'라는 정체성에 국한된 곳이 아니라 다양한 의제들이 교차하는 곳임에 주목한다. 이에 따라 공고한 정상가족 이데올로기가 낙인찍어온 다양한 사회적 소수자들의 삶이 서로 교차되고 연결되어 있음을 보이고자 했다. 4장은 새로운 관계의 문법이란 구체적으로 무엇인지를 논하며 이미 그러한 관계를 '발명'해내고 있는 이들의 실천 속에서 새로운 사회의 가능성을 포착한다. '난잡한 친밀성 정치'의 장이라 명명한 돌봄의 다양한 관계망에 주목함으로써 가족을 둘러싼 새로운 정동과 연결성을 논하고자 했다. 5장에서는 퀴어가족정치의 방향을 모색하면서, 가족다양성이 아닌 가족구성권이 필요한 이유, '가정생활'로 좁혀지지 않는 상호의존과 책임의 네트워크를 구축해야 하는 맥락들을 다루었다. 이를 통해 시민들의 현재를 유예하고 미래를 통제하려는 인구정치의 수단인 가족규범과 가족제도에 적극적으로 개입해야 하는 필요성을 다시 한번 강조한다.

이 책의 많은 내용은 필자가 활동하고 있는 가족구성권연구소*의 활동을 통해 만들어졌으며 책 곳곳에는 다양한 이들의 목소리가 담겨 있다. 이 목소리들은 2019년 가족구성권연구소가 진행한 〈서울시 사회적 가족의 지위 보장 및 지원방안 연구〉**에 참여했던 이들의 것이다. 이 책에서 다시금 자신들의 목소리를 인용하는 것에 대해 모두가 흔쾌히 동의해주

---

* 가족구성권연구소는 민주노동당의 제안으로 2006년 7월 13일 '다양한 가족형태에 따른 차별 해소와 가족구성권 보장을 위한 연구모임'으로 첫 모임을 가졌다. 이후 2019년 1월 24일, 연구소로 전환하였고 지금까지 활동이 지속되고 있다. 초기부터 한국게이인권운동단체 친구사이, 장애여성공감, 언니네트워크, 여러 퀴어/페미니즘 활동가와 연구자들이 함께했고, 이후 사회복지연구소 물결도 합류했다. 가족구성권연구소에 대한 보다 자세한 내용은 《가족구성권연구소 창립 기념 발간자료집: 2006-2018》(김원정 엮음, 가족구성권연구소, 2019)을 참고하기 바란다. 또한 모임 초기부터 현재까지 가족구성권연구소의 모든 회의를 가능하게 장소를 제공하며 연대의 뜻을 보내준 한국게이인권운동단체 친구사이에 감사를 전한다.

었는데, 그 이유는 무엇보다 한국사회가 가족불평등이 없는 사회가 되었으면 하는 바람에서였다. 이 자리를 빌려 다시 한 번 감사의 마음을 전한다.

** 이 연구는 당시 권수정 서울특별시의원의 제안으로 진행되었으며, 성소수자가족구성권보장을위한네트워크(이하 가구넷)에서는 사회적 가족 지원 조례를 만드는 작업을 담당했다. 사회적 가족의 개념과 연구의 결과 등에 대해서는 2장에서 기술한다.

차례

1장

돌아갈 수 없는,
돌아가서도 안 되는
'그 가족'

코로나19 팬데믹 이후, 상호의존성, 돌봄의 민주주의 등이 거론되며 취약한 삶의 조건에 대해 그 어느 때보다 많은 논의가 진행되고 있다. 그동안 한국사회의 불평등문제는 경제적 빈곤을 중심으로 논의되는 성격이 강해 상호의존할 수 있는 안전망의 부재로 인한 사회적 불평등에 대한 논의는 놀라울 만큼 부재했다. 불평등에 대한 논의가 경제적 빈곤에만 집중된 이유는 무엇일까? 한국사회에서 상호의존이란 여전히 '그 가족' 안에서 가능한 것으로만 상상되기 때문이다. 다시 말해, '그 가족'이 사회적 안전망을 대체해왔다.

새로운 시민적 유대를 가로막는 핵심에는 가족주의가 있다. 가족주의는 부모와 자녀의 관계를 뗄 수 없는 관계로 보고 그것을 삶에서 피할 수 없는 수순으로 간주해온 생애모델로, 그 모델과 다른 삶을 욕망하는 것은 위험하고 불온하며 또한 쉽게 '불효'로 간주하는 것이다. 이러한 가족주의는 '가족'을 운명공동체, 혈연공동체로 바라본다.[1] 이처럼 가족을 운명공동체로 바라보고, 삶과 죽음에 걸친 전 생애의 뗄 수 없는 필연성으로 인식하는 가족주의는 가족을 탈정치화하는 것은 물론이고 가족문제를 언제든 사적인 영역으로 개별화할 수 있는 강력한 기제로 작동해왔다. 사회적이고 구조적인 문제 때문에 발생하는 불평등을 계속해서 가족문제로 환원하는 것이야말로 가족주의의 핵심이며, 따라서 가족주의란 선 가정 후 사회보장으로, 먼저 가족이 알아서 최대한 삶을 책임지고 난 뒤에 그래도 죽을 만큼 힘들면 그제야 사회가 관여하는 식의 태도를 의미한다. 예컨대 2020년 7월 13일, 서철모 화성시장은 화성시청에서 열린 화성시 장애인들과의 면

담에서 "가족이 있는데 왜 국가가 장애인을 돌보냐"[2]라는 망언을 내뱉은 바 있는데, 바로 이것이 가족주의의 의미다.

평등한 상호의존의 생태계를 새롭게 구축하기 위해서는 기존의 '그 가족'을 중심으로 삶을 상상해온 것과는 다른 관점이 필요하다. 한국사회의 가족과 공동체에 대한 논의는 상호의존할 수 없는, 애초에 상호의존의 대상에서 누락된 존재들이 누구인가, 하는 것에 대한 질문에서부터 시작해야 한다. 가족을 저항의 언어로 사유하는 퀴어가족정치의 핵심은 개인 시민들이 경험하는 불평등을 가족 '안'의 이슈로 만들어 사회구조적 불평등을 보이지 않게 하면서 '안온함'을 유지해온 권력에 개입하는 것이다. 우리는 왜 '그 가족'으로 회귀할 수 없는가? 현재의 위기는 어째서 남성의 위기, 특정 가족의 위기가 아니라 사회적 재생산의 위기인가? 한국사회는 어떻게 혈연중심·결혼중심을 넘어 다양한 시민적 유대와 상호의존의 생태계를 구축할 것인가? 이 절박한 질문들에 어떻게 응답하고 함께 변화하는 '의지'를 만들어낼 것인지, 한국사회는 중대한 국면을 마주하고 있다.

'그 가족'의 변화는 극적이다

가족변화에 대한 이야기가 어느 때보다 뜨겁고, 실제로도 변화는 매우 빠르게 진행되고 있다. 비혼, 고령화, 고독사, 가족 파산, 저출생 등 각종 통계가 언급되며 다양한 '위기'에 대한 이야기들도 쏟아진다. 국가는 이러한 변화를 어두운 미래로 조명하며 불안감을 조성하지만 그러한 사회변동이 정확히 어떤 위기인지, 어떤 사회적 불평등과 연결되어 있는지, 어떤 사회적인 의제를 던지는지는 제대로 말하지 않는다. 그저 문화적인 변화로서, 명절날 '언제 결혼할 거냐' '남자친구/여자친구가 있냐'라는 질문을 삼가야 한다는 정도로 여기는 것처럼 보이기도 한다. 즉, 가족변동을 바라보는 지배적인 시각은 사회변화에 무감한 '꼰대'가 되고 싶지 않은, '문명인'이라면 지켜야 할 에티켓과도 같은 딱 그 선에서 멈춰 있는 듯하다. 그럼에도 여성들은 여전히 취업 면접에서 다음과 같은 질문들을 듣는다.

"애인 있어요? [있다고 답하자] 곧 결혼해야 되지 않나?"

"지금 애인과 연애 기간이 얼마나 돼요?"

"결혼하면 직장 그만둘 거죠? [아니라고 답하자] 보통 대답은 그렇게 하더라구요."

"취재원이 특종을 줄 테니 술 마시러 나오라 하는데 집에서 아기가 아파서 울고 있다. 어떻게 할 것인가?"

"애 언제 낳을 건가요? 제 질문은 이거 하나입니다. 3년 동안 애 안 낳을 각오 있으면 알려주세요."

―이진우, 〈취업 면접에서 여성들만 듣는 질문들을 모았다〉,

《허프포스트코리아》, 2018.9.7.

'결·출·남(결혼·출산 계획·남자친구 유무)'으로 이어지는 질문은 명백한 성차별이며, 이러한 정보가 취업에 영향을 미칠 것이란 사실 또한 자명하다.[3] 이처럼 사회는 여전히 결혼과 출산을 여성의 일차적인 역할로 생각하지만, 현실 속 개인들의 삶의 변화 속도는 사뭇 빠르고 극적이다. 2020년 통계청이 13세 이상 인구 3만 8,000명을 대상으로 조사를 진행해 발표한 〈2020년 사회조사 보고서〉에 따르면, 미혼남성의 40.8%는 결혼이 필수라고 생각한 반면, 미혼여성은 22.4%만이 그렇다고 답했다. 또한 기혼자를 대상으로 배우자와의 관계 만족도를 묻는 질문에는 남성 75.9%가 만족한다고 답한 반면, 여성은 62.4%만이 만족한다고 답한 것으로 나타났다. 결혼하지 않고 같이 살 수 있느냐는 질문에 대해서는 전체 응답자 중 59.7%가 그렇다고 답했는데, 이는 같은 응답이 2012년 45.9%, 2014년 46.6%, 2016년 48.0%, 2018년 56.4%였던 것을 참고하면 꾸준히 증가해온 것임을 알 수 있다. 결혼하지 않고 자녀를 가질 수 있느냐는 질문에 대해서도 긍정 응답이 30.7%로 나타나, 2012년 22.4% 이후 꾸준한 증가세를 보이고 있다.[4]

비혼동거에 대한 인식 변화는 여성가족부가 주관하는 조사로는 최초로 전국 만 19세 이상~만 69세 이하 국민 중 현재 남녀가 동거하고 있거나 과거 동거 경험이 있는 3,007명을 대상으로 진행한 비혼동거 실태조사를 통해 좀 더 자세히 살펴볼 수 있다. 응답자들은 동거 사유로 '별다른 이유 없이 자연스럽게'를 가장 많이 꼽았는데(38.6%), 이는 동거가 더 이상 '특별한' 이유 또는 피치 못할 사정으로 선택하는 것이 아니라 현재 삶의 '당연한 선택' 혹은 '가능한 선택지'가 되었음을 보여준다. 또한 많은 사람이 '동거'라는 말을 들으면 흔히

20대를 떠올리지만, 실제 비혼동거는 30대가 33.9%로 가장 많고, 40대 24.5%, 20대 22.5%, 50대 14.1%, 60세 이상 4.9%로 나타나며 전 연령대에서 이루어지고 있음을 알 수 있다. 이 중에서도 특히 40~50대의 비혼동거는 결혼으로 가는 과도기적 단계가 아니라 그 자체로 적극적 선택의 결과로 보아야 할 것이다. 이는 동거 사실을 '나의 부모에게 알렸다'라는 비율이 전체 응답자 중 64.4%로 높게 나타난다는 점에서도 추측할 수 있다.[5]

이런 조사 결과들은 무엇을 의미하는가? 모두가 결혼을 당연시했던 시대, 남성 생계부양자와 돌봄을 수행하는 여성이 결혼제도를 통해 '가족'을 만들던 시대, 즉 '그 가족' 안에서 상호의존하며 살다가 생을 마감한다는 서사의 시대가 종말을 향해가고 있음을 의미한다. 그리고 '그 가족'에 기반한 국가, 가족, 개인의 관계가 변화하고 있음을 의미한다. 따라서 기존의 가족제도로부터 지워진 사람들의 삶에 주목함으로써 새로운 상호의존의 생태계를 구축해야 할 필요성을 드러낸다.

누구의 위기였는가?

산업화 이후 한국사회는 1997년 IMF 경제위기와 함께 발생한 남성 생계부양자 시민모델의 불안정성을 '아버지의 위기'로, 결혼할 수 없는 사회구조적 문제를 결혼하지 못하는 '청년세대 남성의 위기'로 재현하면서 이성애 가부장제를 유지해왔다. 사회적으로 '개인'은 남성 노동자의 생애모델을 중심으로 구축되었고, 남성 노동자들은 생산의 주체일 뿐만 아니라 가족의 생계부양자로 간주되어왔다.[6] 가족을 먹여 살리는 남성 가장의 생애와 그러한 아버지에게 의존하는 삶이 당연한 가족주의 시민모델의 사회에서, 남성 노동자의 생애 불안정성이 가속화될 때 그것은 곧 국가적인 위험이 되어 적극적으로 대처해야만 하는 사회적인 위기가 되었다. 이에 따라 최저생계비를 지원하는 「국민기초생활보장법」이 제정된 것도 IMF 경제위기 이후였다. 'IMF 노숙자'라는 당시의 명명처럼 이전까지의 '무능하고 게으른 노숙자'와 달리 경제위기에 따른 일시적인 실업으로 나타난 '정상적인 남성 가장'의 문제였기에 이때의 노숙인은 새삼 사회적인 의제가 되었고, 정부와 국민이 함께 대처해야 하는 국가적인 위기로 여겨졌다. 그리고 당연하게도, 그 'IMF 노숙자'에서 여성의 얼굴은 지워졌다.[7] 송제숙에 따르면 여성은 경제적인 주체이기 이전에 남성 가장에 의존하는 존재였고, 따라서 노숙인의 이미지 또한 IMF 때문에 일시적으로 직장을 잃은 화이트칼라 남성으로만 재현되었으며, 'IMF 노숙자' 지원정책의 대상에서도 여성은 배제되었다.[8] 마찬가지로 노인, 장애인 등 사회적 소수자는 사회 위험을 마주한 주체이기 이전에 가족 또는 남성 가장의 보호를 받는 '대상'으로 간주되었을 뿐이다.[9]

이러한 '밀려남'은 현재까지도 이어지고 있다. '생계부양자의 보조자'로 간주되는 이들의 삶이 경험하는 불평등은 다음과 같은 수치들로 나타나는데, 가령 2018년 기준 한국은 66세 이상 노인의 상대적 빈곤율이 43.4%로 OECD 국가 중

1위이며 이는 OECD 평균(14.8%)의 약 3배에 이르는 수치다.[10] 또한 한부모 가구의 소득은 전체 가구 월소득의 56% 수준인 219만 원에 불과한데, 그중에서도 모자 가구의 월소득은 169만 원에 그쳐 훨씬 더 열악한 상황임을 알 수 있다.[11]

현재 한국사회는 남성 노동자-생계부양자 시민모델이 더 이상 과거만큼 유효하지 않은 것은 물론이고, 가족이 알아서 생존을 책임져온 생존적 가족주의의 위기 또한 드러내고 있다. 그동안 공적 복지를 대신해 작동해온 사적 복지(가계저축, 사적 자산, 사보험 등)가 가족의 생존을 담보했지만, 더 이상 그마저도 불가능해진 것이다. 공적 복지를 대체할 만큼의 사적 복지를 구축할 수 있는 것은 지극히 일부 계층에 불과하다.[12] 생존적 가족주의의 위기는 남성 노동자-생계부양자 시민모델의 변동을 알리는 것인 동시에, 사회적 안전망이 취약한 여성이나 소수자들의 삶이 더욱더 다양한 불평등에 연루될 수밖에 없다는 사실을 드러낸다.[13]

진짜 위기는
사회적 재생산의 위기다

현재 한국사회 불평등의 핵심은 경제적인 문제만도, 주거의 문제만도, 돌봄 공백의 문제만도, 가족을 구성할 권리 침해의 문제만도 아니다. 불평등은 총체적인 사회적 재생산의 위기로 가시화된다. 이진옥에 따르면 사회적 재생산은 "사람들의 일상적·사회적·정서적·도덕적·육체적·세대적 재생산이 요구되는 다양한 활동과 행위, 책임과 관계 등"을 포괄하는 것으로, '사람의 삶을 특징짓는' 양식이다.[14] 이러한 의미에서 "가족 외의 다른 행위자들과 사회로부터 충분한 지원을 받지 못한다면 사회적 재생산은 위기에 봉착할 수밖에 없고, 그 위기는 가장 취약한 가구들에서 먼저 나타"난다.[15] 김현미는 사회적 재생산에 대해 "모든 구성원의 생존을 위해 필수적인 물적 자원의 제공뿐만 아니라, 불평등, 차별, 위기 해결을 통해 모든 구성원의 동등한 사회적 참여를 보장하는 과정을 포함해야" 한다고 말했다.[16]

'어떻게 살 것인가'를 고민할 때 우리는 경제적인 고민뿐만 아니라 누구와 살 것인지, 아플 때 누가 나를 돌볼 수 있는지, 멀리 있는 원가족 대신 일상적인 힘겨움을 누구와 나눌 수 있는지 등 사회적 재생산을 둘러싼 다양한 고민과 불안을 경험한다. 이는 취약한 집단과 취약하지 않은 집단이 임의적으로 구분될 수 없으며, 취약성 자체가 보편적인 삶의 조건으로 수용되는 사회의 필요성을 의미한다. 그러나 한국사회는 여전히 삶의 재생산에 필요한 다양한 돌봄망이나 상호의존망에 대한 지원을 마련하기보다 여성에게 강제되어온 돌봄을 지금까지도 당연시하며 개별적인 가족에게 책임을 전가하고 있다. 코로나19 팬데믹 상황에서 더욱 뚜렷하게 드러난, 개별 가정과 여성들에게 강제된 돌봄은 사회적 재생산의 위기를 여실히 보여주는 것이었다. "[아이가] 언제 학교 가지, 이런 우울감이 있는 것 같아요. 이러다가 우울증으로 죽든지 코로나로 죽든지 둘 중 하나겠다, 하는 엄마들도 있어요"라는 이야기나 "'내가 회사를 그만두면 해결되는 문제인데 내가 너무 잡고 있나'라는 고민을 하루에도 수십 번을 한다"라는 여성들의 이야기는 사회적 재생산의 위기 경보를 울리는 명백한 한 장면이다.[17]

이렇듯 시민들이 경험하는 사회적 재생산의 위기와 그로 인한 고립감은 이성결혼/가족 안에 있든 밖에 있든 사회 안전망의 부재와 연결되어 있으며, 취약한 사회적 관계망 속에서 더욱 심화될 수밖에 없다. 2019년 통계개발원의 《KOSTAT 통계플러스》 가을호에 실린 〈고령화와 노년의 경제·사회활동〉 연구에 따르면, 50세 이상 한국인이 사회적 관계망을 가지고 있는 비중은 60.9%로, OECD 국가 중 가장 낮은 것으로 나타났다. 사회적 관계망은 "어려운 일이 있을 때 도움을 받을 수 있는 친지·가족·이웃·친구"가 있는지를 의미한다. OECD 평균은 87.1%였으며, 가장 높은 국가는 아일랜드(96.3%)였고 뒤를 이어 아이슬란드(95.4%), 영국(93.8%), 뉴질랜드(93.6%), 덴마크(93.6%) 순서로 나타났다.[18]

사회적 재생산의 위기는 생애에서 누구나 경험할 수 있는 차별과 불평등을 가족 안의 사건으로, 특정한 가족만이 경험하는 문제로 축소하는 사회에서 강화된다. 가족에게 모든 것을 일임해온 사회의 결과는 노년층의 사회적 고립과 단절의 증가, 그리고 모두의 '돌봄 공백'으로 이어지는 사회적 재생산의 위기다.

돌아갈 수도,
돌아가서도 안 되는 '그 가족'

홍찬숙은 아버지 세대는 결혼을 통해서 획득한 '가장'으로서의 남성자아가 개인과 사회를 연결하는 세계였으며, 또한 그것이 관계성을 상상하는 토대이자 가부장제 질서를 구축하는 기반이었다고 말했다.[19] 사회적 재생산의 위기는 이러한 삶의 양식의 변화를 요청하며, 이는 한편으로 가족을 재구성하는 토대가 될 수 있다. 나와 세계를 연결하는 방식의 변화는 시민권이 남성 가장의 얼굴로 획득된 그 세계를 지탱하던 질서의 변동을 의미한다. 다시 말해 가족변동은 단순히 가구형태의 변화나 비혼 증가 등 통계수치상의 변화 또는 특정한 인구집단의 문제가 아니라, 나와 세계를 연결해온 기존의 가족관계에 존재하는 불평등과 강제성 속에서 사유해야 하는 문제라는 것이다.

가족변동은 그 말 그대로 '변동'이라기보다는 사실상 근대적 이성결혼/가족에 기반한 사적/공적 가부장제를 유지하고자 하는 국가·사회와의 불화이며, 이에 따라 이성애규범적인 생애모델로부터 탈주하는 여성이나 다양한 소수자들의 삶이 가시화되는 흐름과 연결된다. 하지만 사회는 이성애 결혼제도가 더 이상 삶의 의지처가 될 수 없다는 것을 감지한 여성들의 목소리나 성별이분법에 기반한 공적인 성원권에서 벗어난 권리에 대한 요구들을 일시적인 '일탈' 또는 '이기적'인 행동으로 간주하고 있다. 이러한 시각은 최근 2030 남성을 중심으로 한 '역차별 피해자론'과도 무관하지 않다. 허윤은 나와 세계를 연결하는 기본단위를 이성결혼으로만 상상하게 만드는 사회에서 그 세계를 단절시키는 대상(여성)에 대한 '분노'가 쉽게 정당화된다고 분석했다.[20] 가족변동으로 새롭게 경험되는 불안함을 결혼을 '거부'하는 여성들의 탓으로 돌릴 때 여성에 대한 혐오와 차별은 더욱 공고해진다.

물론 이러한 상황을 남성 개인들의 탓으로 돌리기는 어렵다. 국가는 여전히 '결혼할 수 있는 조건만 된다면 결혼을 할 것이다'라는 인식에서 벗어나지 못하고 있기 때문이다. 이러한 인식은 여성들을 중심으로 한 비혼의 장기화, 비혼의 대중화, 동거의 증가 등이 일시적인 현상에 불과하며 언제든 이전 질서로 회귀 가능한 것으로 보는 토대가 된다. 사회적 불평등 해소에 집중하기보다 결혼 안에서, 결혼을 통해 삶의 재생산이 가능한 가족주의로의 회귀를 추구하는 것은 시민권에 기반한 사회권에 대한 논의를 가로막을 뿐이다. 그런데도 정부는 여전히 신혼부부를 중심으로 하는 정책들을 내세우며 저출생, 돌봄 공백 등 여러 '위기'를 해소하고자 하고, 개인의 권리에 기반한 주거권, 노동권, 사회권을 확보하는 데는 별다른 관심이 없다. 각종 지원정책을 펴다 보면 언젠가는 여성이 결혼을 하고 출산도 해서 다시 과거의 가족주의로 돌아갈 수 있을 것이라는 실현 불가능한 미래에 사로잡혀 있는 것처럼 보인다. 지금의 가족변동은 분명 사회적 불평등에 대한 전방위적인 접근을 요청하고 있음에도 기존의 협소한 가족질서로 돌아가고자 하는, 돌아갈 수 있을 거라는 '그 가족'에 대한 회귀적 욕망을 버리지 못하고 있다.

변화는 정말 일시적일까?

서구에서는 1870년에서 1930년까지 도시화 과정 속에서 대가족이 소규모 핵가족으로 변화하는 1차 인구변동이 있었다. 이후 1960년대 중반부터는 전후 베이비붐 시대의 종말과 함께 이혼율 급등, 지속적인 대체 수준 미만의 출산력, 결혼 이외 다양한 생활양식의 등장, 결혼과 출산 사이의 단절 등 새로운 삶의 규범과 태도, 가치 등이 등장하는 대전환의 시대, 즉 2차 인구변동을 맞이했다.[21] 이병호는 이러한 변동의 배경에 1960년대의 성해방과, 젠더권력을 비판하며 '개인적인 것이 정치적인 것이다'를 내세운 제2페미니즘 물결의 흐름, 그리고 1970년대 경제적 불황이 맞물려 있었다고 분석했다. 결혼을 전제로 하지 않는 동거의 출현, 출산율 하락 등은 전 사회적인 흐름이었고, 이는 여성들이 적극적으로 노동시장에 뛰어든 이후로 지금까지도 이어지고 있다. 1960년대의 동거는 흔하지 않은 '일탈적'인 관계였지만, 1차 오일쇼크가 일어난 1973년부터는 본격적으로 동거가 증가했고, 2008년 글로벌 금융위기 이후 더욱더 확대되었다. 경제위기가 회복된 뒤에도 이러한 가족변동은 다시 이전의 상태로 돌아가지 않았다. 즉, 관계성과 친밀성은 일단 변화하고 나면 경제적인 조건이 과거 수준으로 회복된다 한들 이전의 문법으로 돌아가지 않는다는 것이다. 관계성과 친밀성의 변화는 규범에 대한 태도의 변화와 맞물려서 진행되기에 이전으로 회귀할 수 없다, 라는 이병호의 지적은 중요하다.[22]

한국도 마찬가지다. 앞서 언급했던 통계청의 〈2020년 사회조사 보고서)에서 나타난 것처럼, '결혼을 꼭 해야 한다'는 생각을 고수하는 사람들은 점점 더 줄어드는 추세다. 이러한 인식의 변화는 단순히 비혼인구의 증가를 의미하는 것뿐만 아니라 이성애규범적인 결혼-출산-돌봄-죽음이라는 일련의 생애주기와 다른 방식의 생애경로가 출현하고 있음을 의미한다. 이성애규범적인 생애모델을 거부하고, 제도나 사회가 '임시적인 삶'이라고 규정하는 삶을 장기적으로 그렇게 살 수 있다고 여기며 그렇게 살 준비를 하는 집단의 등장을 의미하는 것이다.

한 가지 유념해야 할 것은 비혼이 단지 이성애규범적인 가족질서를 거부하는 개인의 선택에 그치는 것이 아니라 분명한 구조적인 젠더불평등과 연동되어 있다는 사실이다.[23] 특히 비혼에서 성별 격차가 나타난다는 것, 다시 말해 청년남성과 다르게 청년여성이 고학력이나 가족자본이 충분한 경우 비혼을 선택하는 비율이 높은 것은,[24] 결혼을 단순히 개인의 선택으로 보는 접근을 넘어 계급과 젠더 격차 또한 작동하는 문제로서 교차적으로 살펴봐야 한다는 사실을 보여준다. "비혼-비출산이 '스펙'이 되지 않는 사회를 원한다"[25]는 말처럼 여성들의 비혼 증가는 노동시장에서의 성차별과도 긴밀하게 연결되어 있다.

그러나 한편으로 결혼은 여전히 생애주기의 주요한 단계로 상상되는데, 그 이유는 결혼만이 가족자원을 구축할 수 있는 유일한 방법인 한국사회에서 결혼으로 얻을 수 있는 사회적인 자원이 확실하기 때문이다. 그리고 이는 다시 계급화된 가족질서의 토대가 된다. 이러한 사실은 한국 청년층 빈곤의 특수성에 관한 조사 결과에서 드러나는데, 다른 나라와 달리 한국 청년층의 경우 결혼을 했거나 원가족 안에서 살고 있는 청년층의 빈곤율이 현저히 낮은 것으로 나타난다.[26] 국제적인 소득연구 자료인 룩셈부르크소득연구Luxembourg Income Study, LIS 자료와 한국의 통계청 가계동향 조사 자료를 통해 비교국가적 관점에서 한국 청년 빈곤의 특수성을 연구한 김수정은 한국 청년의 빈곤이 가구 독립, 혼인 여부, 자녀 양육과 같은 생애주기와 긴밀하게 연결되어 있음을 지적한 바 있다. 이 연구에서 중요한 부분은 청년문제가 '청년실업'으로 대표될 수 없다는 것, 다시 말해 같은 청년이라 하더라도 졸업, 취업, 주거 독립, 혼인(파트너십) 등 성인기로의 이행 조건과 양태에서 서로 너무나 이질적이며 청년문제는 사실상 이러한 요소가 '청년'이라는 것보다 더욱 크게 작용한다는 것이다. 예를 들어, 결혼을 통해 가구 분리를 한 청년들은 그렇지 않은 청년에 비해 상대적으로 양호한 사회경제적 지위와 배경을 갖고 있으며, 결혼은 사회경제적 배경에 의한 자기선택적 지위, 나아가 계급적 현상이 되고 있고, 기혼 청년의 낮은 빈곤율이 이를 방증하고 있다.[27] 특히 배우자가 있을 때의 빈곤 위험이 부모와 동거하는 경우보다 낮은 나라는 한국뿐이라는 조사 결과는 결혼이 계급화되었다는 것뿐만 아니라, 많은 사회정책이 결혼-가족을 중심으로 작동한다는 사실에서도 그 이유를 유추할 수 있다.

이러한 상황은 결혼 대 비혼의 구도를 넘어서, 결혼 여부, 계급, 섹슈얼리티, 젠더의 차이가 만들어내는 불평등에 주목해야 한다는 사실을 드러낸다. 그러나 시민들의 삶을 분절적으로 바라보는 정치는 이러한 문제들을 세대갈등, 젠더갈등으로 치환한다. 그러한 시각에서 사회적 재생산의 위기, 돌봄 공백의 근본적인 문제는 사라지고 시민의 삶은 끊임없이 개별적인 이슈들로 파편화된다. 즉, 독거는 노인의 이슈로, 비혼은 여성의 이슈로, 청년세대의 불안정성은 남성의 이슈로 분리되며, 세대갈등과 젠더갈등이라는 구도 속에서 시민들의 삶이 손쉽게 동질화되고, 그 안에 존재하는 불평등은 가려진다. 지금의 가족변동을 오랜 시간 누적되어온 구조적 문제의 결과로서 바라보며 비균질적인 시민 개개인의 생애에 주목하는 것이야말로 불평등한 젠더, 세대, 섹슈얼리티에 따른 차별과 경험의 이질성을 사회적인 의제로 다루는 출발점이 될 것이다.[28]

1인 가구의 증가는
고립의 원인인가?

1인 가구나 비혼이 증가하면서 사회적으로 많이 들리는 말들이 '고립의 시대'라는 이야기다. 오늘날 한국사회는 정말 고립의 시대인가? 줄어든 가구원수와 1인 가구의 급증을 다루는 기사에는 자연스럽게 '고독'과 '고립'이라는 말들이 따라붙으며, 대부분의 논지는 고독과 고립을 방지해야 한다는 것으로 나아간다. 이러한 흐름 속에서, 1인 가구의 증가나 결혼하지 않는 사람들의 증가는 자주 사회적인 고립이나 단절의 원인으로 지목된다. 이는 2000년대 들어 증가한 이혼율을 가족해체의 주범으로 바라본 것과 매우 유사한 시각으로, 1인 가구나 비혼주의자의 증가를 새로운 '문제적인' 집단의 '출현' 으로 바라보는 것이다. 예를 들어 〈코로나 팬데믹 새로운 위협 '사회적 고립' 대책 절실〉이라는 기사[29]에서는 팬데믹 상황에서의 사회적 고립을 논하면서 1인 가구 비율의 증가와 '고독사' 언론 기사량 추이 증가를 연결한다.

1인 가구나 비혼 인구의 증가가 사회적 고립의 '원인'인 것처럼 '자연스럽게' 소환될 때, 이러한 현상은 구조적인 문제의 징후가 아니라 그저 피할 수 없는 '사실'로 해석될 뿐이다. 실제 많은 기사들이 '고독사'의 원인을 너무나 간단하게 '함께 모여 살지' 않아서 생기는 문제로 단언한다. 그러나 OECD 국가 중 가장 높은 고립지수를 가진 것으로 조사되는 한국의 문제가 정말 1인 가구와 비혼 인구의 증가 때문인가? 이것을 '원인'으로 지목하는 것은 정말 합당한가? "곤란한 일이 있을 때 도움을 요청할 지지체계가 없는 국내 고립인구의 비율이 2019년 기준 21.7%로 OCED국 중에서 가장 높은 수준"[30]이라는 조사 결과는 앞에서도 언급한, 노년인구에서 사회적 관계망이 가장 부족한 나라가 한국이라는 수치와도 연결된다. 다시 한번 생각해보자. '고독사'로 대표되는 사회적 고립의 원인이 정말 1인 가구나 비혼 인구가 증가했기 때문일까?

2018년 기준 1인 가구가 전체 가구의 56.6%로, 세계적으로 1인 가구 비율이 가장 높은 나라인 스웨덴은 놀랍게도 고립지수가 6.6%밖에 되지 않는다. 이러한 조사 결과는 1인 가구가 '자연스럽게' 고독으로 이어지는 것도 아니고, 당연히 낮은 행복지수로 이어지는 것도 아니며, 무엇보다 1인 가구라고 해서 사회적인 관계망으로부터 단절된 삶을 사는 것이 아니라는 사실을 보여주는 명확한 증거다. 꾸준히 행복지수 1위를 차지하는 아이슬란드의 고립지수는 1.8%로 나타났는데,[31] 이러한 아이슬란드는 혼외출산 신생아 비율이 69.6%에 이르고,[32] 성평등지수 세계 1위, 동성애 관용도 또한 10점 만점에 8.3점으로 높게 나타난다.[33] 이 같은 사례들은 고립의 원인을 개인에게서 찾기보다 어떤 사회가 시민들 사이의 유대를 가능하게 만드는가를 고민해야 한다고 말하고 있다.

다양한 관계성이 사회적으로 평등하게 공존하지 못하고 중요한 관계와 중요하지 않은 관계로 위계가 나뉠수록 시민과 시민이 서로의 곁을 내주며 어려움을 나눈다는 것은 힘들어질 수밖에 없다. 곁을 내준다는 건 단지 개인의 의지의 문제가 아니다. 내가 나로서 살 수 있고, 내가 맺고 있는 관계가 사회적인 편견으로부터 자유로울 때, 우리는 비로소 서로에게 의지할 수 있고 도움을 요청할 수 있다. 개인이 경험하는 불평등과 차별을 '이상적인 가족'을 갖지 못한 사적인 문제로 돌리는 사회에서 누가 자신의 어려움을 이웃과, 타인과 쉽게 나눌 수 있을까? 내 삶이 힘든 이유가 '한부모 가정'이기 때문이라 생각하는 사회에서, 나의 고립이 1인 가구로 살기 때문이고 비혼으로 살기 때문이며 성소수자이기 때문이라고 말하는 사회에서, 나와 이웃이 고립되지 않고 시민과 시민으로 연결되기란 너무나 어려운 일일 수밖에 없다. 각자도생으로 어떤 어려움도 혼자서(가족 안에서) 극복해내야 하는 것은 물론이다. 여전히 이성애-군필자-남성을 일등시민으로 상상하는 사회는 다양한 시민들이 상호의존할 수 있는 토대로서 매우 취약하다. 한국사회 50대 남성의 높은 고독사 비율은 단순히 장년층 남성의 문제가 아니다. 이러한 현상의 기저에는 성별이분법, 이혼에 대한 사회적 낙인, 남성 가장으로서의 역할이라는 가부장제 태도 등이 섞여서 만들어진, 시민의 삶과 관계의 고립을 강제하는 조건이 자리한다.

개인이 오롯이 삶의 변동을 책임져야 하는 사회, 즉 충분한 사회적 안전망을 갖추지 못한 사회에서 이성애규범적인 가족중심 시민모델을 벗어난 이들의 삶은 너무나 쉽게 고립으로 이어진다. 미국의 사회학자 에릭 클라이넨버그Eric Klinenberg는 저서 《고잉 솔로 싱글턴이 온다》를 통해 혼자 사는 것이 외롭게 사는 것과 같지 않다고 강조한 바 있다. 그는 "혼자 사는 것을 공동체의 붕괴 또는 사회의 퇴보와 관련지으며 탄식하는 다수의 목소리"는 고립되지 않고 살 수 있는 방안을 강구하는 것을 방해할 뿐이며, 도움이 필요한 사람과 지역의 문제를 해결하는 데 아무런 도움이 되지 못한다고 지적한다.[34]

또한 이러한 고립은 계급적이며, 젠더와 섹슈얼리티를 둘러싼 사회적 상황에 따라서 차별과 고립의 정도는 다를 수밖에 없다. 예를 들어 대학생활 만족도 조사만 하더라도 사회경제적 지위가 높은 가정의 청년들이 더 높은 만족감을 표시하며 단체활동 또한 더 활발하게 하는 것으로 나타난다.[35] 이러한 경향은 계급에 따른 부모 노후에 대한 책임감 차이에서도 두드러지는데, 〈2020년 통계청 사회조사 보고서〉에 따르면 가족·정부·사회가 부모의 노후를 함께 돌봐야 한다는 응답은 월평균 소득이 600만 원 이상인 고소득 가구에서 67.3%로 가장 높게 나타났고, 월평균 소득이 100만 원 미만인 가구에서 52.1%로 가장 낮게 나타났다.[36] 전체 평균이 61.6%로 나타난 2020년의 조사 결과는 2018년(48.3%)보다 13.3%나 증가한 것으로, 가족 단위로 생존을 맡는, 즉 가족이 부양과 돌봄을 전담하는 시대가 끝나간다는 것을 의미할 테지만, 소득에 따른 차이가 나타나는 것은 눈여겨보아야 할 지점이다. 월평균 소득이 100만 원 미만인 가구의 부모에 대한 부양책임감이 고소득 가구에서보다 더 높게 나타난 것을 이들이 지닌 부모에 대한 효심이나 가족주의의 영향으로 해석할 수 있을까? 그보다는 가난한 부모가 스스로의 노후를 책임지기 어려울 것이라고 예상하는 데 기반한, 사회적 안전망이 취약한 사회에서 가족격차에 따른 생존적 선택으로 해석하는 것이 더 타당해 보인다.

　이러한 가족격차는 빈곤 대물림이 일어날 수밖에 없는 한국사회의 구조적 문제로, 이는 비단 경제적 문제뿐만 아니라 정서적 문제와도 이어져 있다. '가족 안에서 정서적인 친밀감이나 마음의 위안을 느끼고 있는가'라는 질문에 대해 상층 청년은 91%가 그렇다고 답했으나, 하층 청년은 43%만이 그렇다고 답했다는 조사 결과는 가족을 경유한 계급적인 격차가 삶의 고립감을 초래하는 사회적인 조건인 동시에 부모 부양에 대한 압박감과도 연결되어 있음을 보여준다.*

또한 부양과 돌봄이 가족의 책임이 아니라는 사회적 인식의 변화 속에서도 여전히 가족에게 전가되는, 특히 여성에게 돌봄이 맡겨지는 현실은 지속되고 있다. 전북연구원이 2017년 치매환자의 주 수발자 349명을 대상으로 한 조사에서 주 수발자의 73%(256명)는 여성이었다. 환자의 배우자인 경우가 36.7%로 가장 높았고, 뒤를 이어 딸이 28.4%, 며느리가 17.2%로 나타나며 젠더화된 돌봄의 현주소를 드러냈다.[37] 가족돌봄에 대한 인식 변화 속에서도 여전히 젠더화된 '독박 돌봄'이 지배적인 현실은 돌봄으로 인한 여성들의 사회적 고립감을 초래한다.

이렇듯 삶의 재생산이 어려운 상황에서 강화되는 삶의 불안정성은 계급, 섹슈얼리티, 젠더 등과 교차되고, 시민들의 유대감은 점점 더 취약해지고 있다. 그런데도 국가는 여전히 유대의 방식으로 결혼만을 내세우고 이를 중심으로 시민의 삶을 상상하면서 각종 정책과 제도를 수립한다.

1인 가구, 비혼의 증가는 고립을 택하는 시민들의 증가가 아니다. '고독사'와 같은 사회적 고립의 원인이 1인 가구와 비혼인 것도 아니다. 이들의 등장과 증가는 '그 가족'을 넘어서

---

* 프로젝트 얼룩소(alookso)와 KBS 시사기획 창, 한국리서치가 공동기획해 18~34세 남녀 1,000명과 35세 이상 남녀 1,000명, 총 2,000명을 대상으로 진행한 이 조사에서, 상층 청년은 81%가 "부모님 스스로 노후대책을 세울 수 있다"고 답했지만, 하층 청년은 31%만이 그렇다고 답했다. 천관율·김수지·임유나, 〈계급이 돌아왔다: 이대남 현상이라는 착시〉, 《얼룩소》, 2021.11.8. https://alook.so/posts/XBteeJ

새로운 관계를 추구하겠다는 선언, 즉 결혼과 혈연 아닌 방식으로 연대하고 유대감을 형성하겠다는 시민들의 출현이다. 사회적 고립은 삶의 모든 영역에서 가족을 소환하는, 가족돌봄을 당연시하는 사회가 강제하는 것이지,[38] 고립을 택하는 이들이 존재하기 때문이 아니다.

가족변동과 이질적인
생애경로의 탄생

> 내 안에 있는 그 집을 찾아서
> 내가 살고 싶은 그 집을 찾아서
> 내가 사랑할 그 집을 찾아서
> 내가 되고 싶은 그 가족을 찾아서
>
> —이랑, 〈가족을 찾아서〉 중에서

새로운 관계를 꿈꾸는 많은 사람이 좋아하는 이랑의 노래 〈가족을 찾아서〉는 자신으로 살고, 자신으로 관계 맺고자 하는 시민들의 욕망을 잘 담아내고 있다. 또한 생애정상성의 균열과 함께 인생에서 정해진 다음 단계의 삶이란 결코 존재하지 않음을 예감하면서 새로운 나, 나로서 있는 그대로 소속될 수 있는 집, 새로운 관계성을 찾아가는 '퀴어한 시간' 속 시민들의 삶과 만난다.

영국의 사회학자 토머스 켐플[Thomas kemple]은 매끄럽고 순차적으로 이어지는 것으로 상상되는 이성애규범적인 시간, 즉 연애-결혼-출산-직장 등으로 미래를 일직선상의 경험으로 기대하게 하는 규범적 시간성은 허구라고 말했다. 삶은 고통도, 가난도, 트라우마적인 사건도 일탈도 없는 균질적인 생애정상성으로 상상될 수 없으며, 우연한 사건, 계기들을 통해서 생애전환을 맞이하기도 하는 등 이미 불확실성을 담지하고 있는 것이 바로 삶이라는 것이다.[39] 그는 삶이란 이처럼 절대 매끄러울 수 없고, 미끄러지면서 오염되고 섞이기 마련이라며, 그러한 시간을 '퀴어시간queer time'이라고 명명하기도 했다.

새로운 생애경로의 탄생은 이성애 결혼 가족 외곽에서의 다양한 시민들의 삶이 한때의 욕망이 아니라 지속 가능한 가치로서 추구되기 시작한다는 것이며, 이러한 변화는 단적으로 1인 가구의 증가를 통해 두드러지게 나타난다. KB금융지주 경영연구소가 발표한 〈2020 한국 1인 가구 보고서〉에 따르면, 2020년 기준 1인 가구 600만 시대를 맞이한 한국은 100명 중 12명이 1인 가구로 거주하고 있다. 1인 생활자의 고령화와 함께 지난 10년간 1인 가구로 진입하는 20대 이하의 증가가 두드러졌으며, 2047년에 이르면 전 지역에서 1인 가구의 비율이 30%를 상회할 것으로 예측된다. 중요한 점은 과거의 1인 가구가 직장이나 학교 등 비자발적인 이유로 혼자 살았다면, 현재는 외부적인 상황과 무관하게 자발적으로 1인 생활을 시작하는 비율이 높아졌다는 것이다. 또한 남성보다는 여성이 앞으로도 장기간 1인 생활을 계획하고 있는 것으로 나타났다.[40]

이처럼 장기간의 계획, 즉 생활양식으로서 1인 가구를 선택하는 변화는 함께 다양하게 살고자 하는 욕망 또한 활발하게 추동해내고 있다. 예컨대 앞서의 〈2020 한국 1인 가구 보고서〉를 보면 결혼 의향이 낮고 1인 가구로 장기간 살 수 있다고 응답한 이들일수록 셰어하우스 등 타인과 함께 사는 주거 형태에 대한 이용 의향이 높은 것으로 나타났다. 즉, 1인 가구의 증가는 가족과 함께 살기가 어려워진, '예외적인' 사람들의 증가가 아니라 가족규범 등에 대한 인식 변화가 보편적으로 일어난 결과이며 그것이 하나의 현상으로서 확연하게 나타나는 것이라고 볼 수 있다.[41]

그러나 여기서 우리는 청년 가구의 빈곤율이 원가족을 떠나 독립을 강행하는 생애이행기에 압도적으로 높다는 연구를 참고하여 1인 가구의 빈곤율에 주목할 필요가 있다.[42] 특히 원가족을 일찍 떠날 수밖에 없는 이들, 원가족의 지원 없이 이른 '독립'을 강행하는 퀴어나 소수자들에게 생애이행기의 불평등은 한 시기의 경험으로 끝나지 않고 생애 전반에 걸쳐 지속될 가능성이 높기 때문이다. 성소수자주거권네트워크에서 2020년 5월부터 1년간 진행한 〈성소수자, 주거권을 말하다〉 연구에 따르면, 성소수자가 원가족으로부터 독립하는 시기는 평균 23.5세로, 이는 한국청소년정책연구원에서 제시한 원가족으로부터의 적정 독립 시기인 26.1세에 비해 훨씬 이른 시기다. 원가족 부모의 집으로부터 독립한 19세 이상 성소수자 949명 중 1인 가구는 71.3%에 해당했는데, 이 중 70.1%는 전용면적 15평 미만에 살고 있었다. 월세 50만 원 미만은

79.2%를 차지했고, 반지하 또는 옥탑방에 거주하는 비율 또한 7.5%로 높게 나타났다. 같은 성소수자 안에서도 월수입에서 주거비용이 차지하는 비율은 트랜스젠더가 평균 30.52%로 가장 높게 나타났다.[43]

이른 독립 시기와 매우 높은 1인 가구 비율에도 불구하고, 주거비용 마련의 방법은 주거대출이 81.5%로 압도적이었다. 부모 및 친인척의 지원이 9.1%에 불과하다는 것은 독립의 시작부터 경제적인 불안정성을 안고 있는 성소수자가 많다는 사실을 단적으로 보여준다. 부모 및 친인척의 지원이 적은 이유는 이들의 독립 이유를 보면 알 수 있다. 논바이너리/젠더퀴어는 '가족 내 정서적/물리적 고통과 학대 등으로 인해서'가 25%를 차지했고, 트랜스젠더는 '성소수자라는 정체성으로 인해서'가 23.2%를 차지한다.[44] 즉, 부모 등의 경제적 지원 부재는 단순히 경제적 지원만의 문제가 아니라 원가족과의 불화와 그로 인한 정서적 지원 및 관계의 단절로도 파악할 수 있을 것이다. 이 같은 원가족과의 불화로 인한 새로운 생애경로와 삶의 불안정성은 2021년 젠더정치연구소 여세연(여성정치세력민주연대)이 주최한 토론회 〈청년 돌봄, 더 잘 돌볼 권리를 찾아서〉에서 언급된 한 레즈비언의 사례에서도 잘 드러난다.

[레즈비언인] 이 친구는 청소년 때 부모님에게 성정체성을 들키고 부모님이 크게 부정했는데, 대학에 와서도 이 친구가 여자친구를 만나거나 할까 봐 대학교 등하교를 부모님이 차로

태워주셨다고 해요. 일일이 연락과 일정을 감시하고. 그러다가 이 친구에게 동성애인이 생겼는데, 그 사실을 알게 된 부모님이 이 친구를 집에 감금한 일도 있었습니다. 이후에 이 친구가 집에서 도망쳐 나오듯 독립을 하게 되었는데, 당연히 가족으로부터 어떤 경제적 지원을 기대할 수 없는 거죠.

—심기용, '성소수자청년의 돌봄' 토론문 중에서, 여세연 주관 토론회
〈청년 돌봄, 더 잘 돌볼 권리를 찾아서〉, 2021.7.15.

원가족과의 불화로 선택하게 되는 독립은 생존의 문제와도 직결된 것이지만 상당수가 가난하고 외로운 생존으로 이어지고 있다. 이성애 결혼/가족중심 시민모델의 사회에서 원가족과 단절한 채 생존한다는 것은 사회적인 지원의 부재 속에서 고립과 빈곤으로 이어질 가능성이 짙다. 다양한 생애 경로에 기반한 시민모델의 부재는 계속해서 삶의 물적 토대를 취약하게 만든다.

미래를 계속 유예하게 돼요. …… 결혼한 사람들은, 아무튼 그 계획에 별로 공감되진 않지만, 결혼하고 언제쯤 애를 낳고, 남편이랑 맞벌이한다고 하면 언제까지 맞벌이할 거고, 언제까지 육아는 누가 할 거고, 언제 다시 일을 할 거고, 이런 계획들이 세워지잖아요. 저는 친구랑 그런 종류의 계획을 얘기할 수가 없거든요, 되게 자연스럽게. 그게 나쁘다고는 생각하지 않아요. 그렇긴 한데, 저는 그편이 더 좋은데, 사실 내가 어떻게 살 건지 계속 다시 생각하고 계속 전략을 다시 짜고

그런 게 당연하다고 생각은 하지만 좀 힘들기도 하고…… (친구관계 2인 가구 B)*

새로운 상호의존의 생태계를 구축하기 위해서는 고립을 강제하는 사회적인 조건을 질문해야 한다. 또한 이질적이고 매끄럽지 않은 삶과 관계들이 '정상가족'의 이름으로 억압되지 않고 사회를 구성하는 새로운 토대로 논의될 수 있어야 한다. 가족변동의 한가운데에서 기꺼이 불화하는 삶들은 자기 자신으로 살고자 하는 의지로 자신만의 생애경로를 만들어가고 있다.

---

* 30대 친구관계로 2019년 인터뷰 당시 동거 기간 7년 차였던 이들은 원가족으로부터 독립하고자 하는 동기가 가장 크게 작용하여 함께 살게 되었다고 말했다. 바쁜 일상으로 함께 공유하는 시간은 많지 않지만 서로를 가장 가까운 사람이라고 이야기했다.

2장

무엇이 시민적 유대를
가로막는가

다양한 생애경로의 탄생은 무엇보다 개인의 삶을 기존의 가족질서 안으로 밀어 넣는 가족중심 시민모델을 질문한다. 이성애 규범적인 가족중심 시민모델은 사회에 '이로운' 이상적인 시민성을 규율하는 조건이 된다. 이는 한우리의 분석처럼 코로나19 팬데믹 상황에서 방영된 공익광고를 통해서도 드러나는데, 사회를 구성하는 최소한의 단위이자 '올바른' 시민의 상은 거의 언제나 4인 가족의 삶으로 제시된다는 것이다. 다시 말해, 4인 가족은 단순히 하나의 가족형태를 넘어서 이상적인 시민모델로 재현되고 있다.[*] 이처럼 가족에 대한 국가와 사회의 태도는 사회공동체의 이상적인 상이 무엇이며, 누가 이방인이고 누가 '우리'인지를 구분하는 강력한 구별짓기, 경계짓기의 기준으로 작동한다.

가족구성권운동은 가족중심 시민모델로 제시되는 시민의 상을 개인중심 시민모델로 바꿔야 한다고 줄곧 주장해왔다. 가족이 아닌 개인을 중심으로 시민의 삶을 바라보는 사회는 가족을 경유해 개인을 상상하던 단수형의 인식을, 즉 친밀성의 각본이 이성애 결혼-혈연가족으로 단 하나만 존재한다고 여기던 인식을

---

[*] 4인이라는 가족단위는 내부의 가부장제 권력관계나 다양한 가족상황을 보지 못하게 만들기도 한다. 예를 들면, 코로나19 1차 재난지원금은 4인 가족 기준으로 책정되었으며 세대주에게 일괄 지급되었고, 실제 수령인은 70%가 남성 세대주였다. 이에 따라 주소지를 떠나 별거 중인 사람들, 가정폭력으로 집을 나온 사람들, 재난지원금을 받고도 이를 나누지 않는 세대주 문제 등 여러 차원의 권리침해가 발생한 바 있다. (김현희, 〈"1차 재난지원금 세대주 일괄 지급…… 여성 접근권 제한돼"〉, 《여성신문》, 2021.6.3.) 이처럼 4인 가족을 사회의 한 단위로 가정하여 시행하는 정책은 가족 내에 존재하는 폭력 및 차별문제와 연결되며 개인의 권리침해로 이어질 수 있다.

해체해 민주적이고 자율적인 복수형의 친밀성을 상상하는 사회를 의미한다. 그러한 친밀성이 실천 가능하며, 당연히 제도적으로도 동등한 권리를 보장하는 사회를 의미한다.[2]

이성애규범적인 가족중심 시민모델을 정치화하는 것은 가족과 가족 아닌 관계의 위계, 돌봄을 주고받는 단위와 아닌 단위의 위계, 소중한 관계와 아닌 관계의 위계를 공고히 하는 가족규범을 질문하기 위해서다. 그리고 이 위계를 깨뜨리기 위해서는 현재 법적으로 규정되어 있는 '가족의 범위'에 주목할 수밖에 없다. 한국의 「민법」 제779조에 명시된 '가족의 범위'는 이성애규범적인 가족중심 시민모델을 토대로 한다. 이 장에서는 이성애규범적인 가족중심 시민모델을 비판적으로 살펴봄으로써 '가족'의 범위를 실질적으로 의지하는 관계를 중심으로, 일상을 공유하는 생활을 중심으로 재구성하고자 한다.

'그 가족' 말고
소중한 관계가 없다고?

이성애규범적인 가족중심 시민모델이 작동하는 사회에서는 한 개인이 자신의 생애에서 누구를 의지하며 어떻게 살아냈고, 어떤 관계망 속에서 다른 삶과 연결되어 있었는지에 대해 무관심하며, 너무도 간단하게 가족 있음과 가족 없음으로 개인의 삶을 재단한다. 누가 무연고자인가? 이 질문은 무연고 사망자를 바로 '고독사'로 연결하는 사회에서, 이 사회가 '고독하다'고 상상하는 이들이 누구인가에 대한 근본적인 인식과 만난다. 무연고 사망자의 죽음을 보도하는 언론은 이들의 삶을 '가족 없음'으로 쉽게 판단하는 데서 시선을 멈춘다. 그러나 어떤 관계를 '소중한 관계'로 사유하는가에 따라서 연고와 무연고의 경계는 달라지고, 연고 또한 무척이나 다양할 수 있으며 따라서 매우 비균질적일 수밖에 없다.

쉬운 예를 들어보자. 2022년 3월 23일, tvN 채널에서는 〈조립식 가족〉이라는 새로운 프로그램이 방영되었다. 일종의 관찰예능인 이 프로그램은 "자발적으로 가족이 된 조립식 가족! 혼자도 결혼도 아닌 이 시대가 원하는 새로운 형태의 가족을 관찰해본다!"라는 말로 제작 취지를 소개한다. 6년 동안 동거해온 댄서 모니카·립제이, 동거 중인 이성커플인 손민수·임라라, 동료 배우이자 함께 사는 동거 가족인 현봉식·이천은·김대명이 출연진들이었다. 이성 간의 결혼과 혈연관계를 중심으로 공고한 가족규범의 사회에서 전혀 다른 형태로 결합한 분자가족의 모습들은 시청자들에게 새삼 가족의 의미를 질문했다.

이를 통해 우리가 생각해볼 수 있는 것은 함께 살아가는 이유란 얼마든지 다양할 수 있으며, 관계를 맺는 방식 또한 얼마든지 개방적일 수 있다는 사실이다. 〈조립식 가족〉의 세 사례는 함께 살아가는 이유에서 각각 주거공동체의 필요, 정서적인 공동체의 필요, 애정관계 등으로 명백한 차이가 있었지만 생활돌봄을 함께하며 서로 일상의 책임을 나눈다는 점에서는 동일했다. 함께 살아가는 이유를 규정하고 동질화하는 현재 가족규범의 사회에서 가족의 의미가 사실 어디에 있는지를 생각해보게 하는 지점이다. 세 사례 모두에서 우리는 결혼/혈연 너머에서 만들어진 새로운 친밀적 결속과 유대감의 출현을 목격하게 되며, 이러한 관계를 지원하는 공적 복지가 부재한 상황에서도 서로에게 의지하는 자율적인 개인들의 연합이 어떤 모습일 수 있는지 또한 엿볼 수 있다.

이러한 친밀성의 변동은 일부 시민들의 예외적인 삶이 아니라 가족을 바라보는 급격한 사회적 인식의 변화와 맞물려 있다. 가족이 혈연이나 이성 간의 결혼으로만 가능한 게 아니라는 '새로운 사회적 합의'가 이뤄지고 있는 것이다. 여성가족부와 한국여성정책연구원이 공동으로 실시한 2019년 〈가족다양성에 대한 국민여론조사〉에 따르면, 응답자의 66.3%는 "혼인·혈연에 무관하게 생계와 주거를 공유할 경우 가족으로 인정한다"라고 답했다. 또한 "함께 살지 않아도 정서적 유대를 가진 친밀한 관계이면 가족이 될 수 있다"에는 48.5%가 동의를 표했는데, 응답자의 폭을 20대로만 좁힐 경우 동의 비율은 58.1%에 이른다. 비혼동거에 대해서는 전체 응답자의 67%가 수용 가능하다고 답했으며, 연령대별로 살펴보면 20대 89.7%, 30대 81.0%, 40대 74.3%로 모두 높은 수용도를 보이고 있다.

가족을 혈연이나 결혼으로 이뤄지는 것이 아닌 생애 한 시기의 생활공동체로 바라보는 인식은 최근의 여러 조사에서 공통적으로 나타나는 현상이다. 2020년, 서울시에 거주하며 주거와 생계를 같이하는 사람이 있는 298명의 성인을 대상으로 한 조사에서는 이러한 인식 변화가 구체적으로 드러났다. 조사 대상자들의 동거관계는 친구(37.6%), 동성연인(35.2%), 이성연인(20.5%) 순이었다. 가족의 조건을 묻는 질문에 대해서는 '강한 정서적 유대감'이 50.3%로 가장 높게 나타났고, '인생의 미래 함께 계획'이 26.2%로 그 뒤를 이었으며, '법적인 혼인이나 혈연관계'는 2.0%로 가장 낮은 비율을 보였다. 지금의 동거인과 앞으로도 함께 살 것인지를 묻는 질문에는 70.1%가 그렇다고 답하며 관계에 대한 만족도 또한 상당히 높다는 사실을 보여주었다.[3]

이러한 변화에서 가장 주목해야 할 것은 생계와 거주를 공유하는 단위, 그리고 정서적인 연대의 단위로 '가족'의 의미를 재사유하는 움직임이 활발하다는 것이다. 지금의 가족변동은 결혼/혈연중심을 넘어서는 시민 간 유대의 가능성을 뚜렷하게 보여주고 있다. 다양한 시민적 돌봄, 상호의존의 관계망을 실천하는 수행적 여정으로서의 '가족되기'는 이미 다양한 양상으로 우리 주변에 나타나고 있다. '그 가족' 말고도 소중한 관계가 얼마든지 있다고 말하는 것처럼 말이다.

가족은 동사다

가족사회학자 데이비드 모건$^{David Morgan}$은 '가족'을 명사가 아닌 형용사, 나아가 동사로 봐야 한다는 의미에서 '가족하다'의 수행성을 드러내는 가족실천$^{family practice}$이라는 개념을 제시했다.[4] 가족실천은 가족 안에서 현재 누가 무엇을 하는지를 중심으로 가족 의미의 형성을 포착하는 것이며, 어떤 가족되기를 수행하는지를 가족의 의미로서 가시화하기 위한 개념이다. 즉, 모든 가족에게 적용될 수 있는 일정한 가족모델이 존재하는 것이 아니라 각자가 관계를 맺는 방식에 따라서, 가족관계를 수행하는 주체가 누구인가에 따라서 가족의 의미가 구성되는 것임을 드러내는 것이다.[5]

김혜경은 다양한 친밀성과 섹슈얼리티의 관계에서 돌봄망이 형성되는 것을 포착하기 위해 모건의 가족실천 개념과 함께 영국의 사회학자 재닛 핀치Janet Finch의 가족시연displaying 개념을 참고하여 가족의 의미가 구성되는 다양한 장치들에 주목한다. 즉, 가족관계망은 혈연관계라거나 함께 거주한다는 '사실'에 기반해 만들어지는 것이 아니라 가족사진을 걸어놓거나, 타인 앞에서 돌봄을 수행하거나, 함께 여행을 가는 상황 등 타인에게 전시되는 실천들을 통해서 다양화될 수 있다는 맥락을 강조한 것이다. 이는 기존의 가족연구가 '가족'에 대한 전통적인 개념을 그대로 고수하면서 새롭게 등장하는 관계들을 단지 '다양한 유형이 등장했다'라는 식으로 나열하던 것을 비판하는 작업인 동시에, 가족의 의미가 실천과 전시를 통해 만들어진다는 것을 드러냄으로써 새로운 가족연구의 방향을 제시한 것이기도 하다.[6]

가족실천 양상의 변화는 앞서 살펴본 것처럼 가족을 '당연히' 혈연, 결혼과 연결 지어서 사고하던 인식이 달라진 것을 통해서도 짐작할 수 있다. 1995년 김규원이 한국사회의 전통적인 가족구성 기준과 서구사회의 새로운 가족구성 기준을 제시하며 584명 응답자들의 인식을 조사한 연구 결과를 보면, 가족을 혈연중심으로 보는 경향이 지금보다 훨씬 더 뚜렷했음을 알 수 있다. 584명의 응답자들 중 73.6%는 "가족원들은 반드시 상호 혈연적인 관계로 맺어져야 한다"에 동의했으며, "앞으로 우리 사회에서 혈연관계가 전혀 없는 사람들끼리 모여 사는 가구를 하나의 가족으로 볼 수 있다고 생각"하는지를 묻는 질문에는 33.2%만이 동의를 표했다. 비혼동거에 대해서도 응답자의 34.4%만이 가족으로서 사회적 인정을 받을 가능성이 있다고 답했으며, 성소수자 가족의 사회적 인정 가능성에 대해서는 불과 6% 정도만이 긍정적인 의견을 보였다.[7]

이러한 인식은 2021년에 발표된 최신 조사에서 완전히 달라져 있다. 앞서의 연구로부터 약 26년이 흐른 오늘날 성인 10명 중 7명은 "혼인, 혈연관계가 아니더라도 함께 거주하고 생계를 공유하는 관계이면 가족이 될 수 있다"(68.5%)에 동의한다. 또한 2020년 여성가족부에서 시행한 가족실태 조사에서는 처음으로 "가족은 내가 선택하고 구성할 수 있는 관계"인가, 라는 질문이 등장했고 응답자 중 38.7%가 동의를 표했다.[8] 이러한 결과들은 사회 구성원이 이해하는 가족의 개념이 「민법」이나 「건강가정기본법」 등 여러 현행법에서 규정하는 가족의 범위나 정의보다 훨씬 더 넓고 유연하다는 사실을 보여준다.

가족의 의미가 사회적으로 구성되는 것처럼 가족의 범위 또한 사회적이며 따라서 지속적으로 재구성된다. 예컨대 1960년의 인구추이 조사에서는 "혈연 가구의 범주에 최대 4명까지의 비혈연 동거인이 포함되었"다. '가정'의 의미는

1970년대에 이르러서야 "부부 사이, 부모와 자식 사이에 필수적인 애정의 공간"으로 자리잡았으며[9] 혼인신고 또한 필수 관문이 아니었다. 1960년대 초반의 한 혼인의식 조사에 따르면 "결혼은 언제 성립한다고 보는가"라는 질문에 응답자 중 50.1%가 "결혼식 한 때"라고 응답했다. 14.7%의 사람들만이 혼인신고 이후라고 답했으며, 혼인신고를 해야 법적인 부부가 된다는 사실을 모르는 사람도 18.6%에 이르렀다.*[10] 이처럼 가족의 의미와 범위가 고정되어 있지 않다는 사실은 하나의 획일적인 모델로서의 가족이란 존재하지 않음을 알려준다.

원가족을 떠나서
원가족을 반추하기

엘리자베트 벡 게른스하임은 저서 《가족 이후에 무엇이 오는가》에서 사람들이 자신의 삶을 설명하는 언어에 '생활의 동반자' '생애 한 시기의 동반자'라는 개념이 등장하고 있다고 언급하면서, 관계에 대한 익숙한 문법에서 벗어나 각자가 자

---

*   법률혼 확산의 결정적 계기는 초등학교 의무교육의 시행이다. 종전 이후 '의무교육완성 6개년 계획(1954~1959)'이 추진되면서 1959년 학령 아동의 취학률은 96.4%에 이르게 된다. 혼인신고를 하지 않으면 자식의 출생신고를 할 수 없고, 출생신고를 하지 않으면 입학을 할 수 없으니 결국 자녀교육 때문에라도 혼인신고를 하는 사람들이 급속도로 늘어났다. 이러한 제도가 시행되기 전인 1950년대까지는 혼인신고가 필수로 여겨지지 않았다. 소현숙, 〈부계혈통주의와 '건전한' 국민: 1950-1970년대 동성동본금혼제를 둘러싼 법과 현실〉, 《'성'스러운 국민》, 한양대학교 비교역사문화연구소 젠더연구팀 기획, 서해문집, 2017, 210쪽.

신에게 맞는 가치를 찾아가는 변화가 일어나고 있다고 강조했다. 무엇보다 중요한 것은 더 이상 '이것이 가족이다'라는 일정한 형태의 가족모델이 존재하지 않는다는 것이다.[11] '생활의 동반자' '생애 한 시기의 동반자'와 같은 표현은 현재의 삶을 '임시적인 삶'으로서 유예하지 않고, 현재에서 상호의존하는 관계망을 중심으로 삶을 바라보는 태도의 변화를 의미한다. 이러한 변화 속에서 기존의 가족관계와는 거리를 둔 새로운 관계성이 출현하게 되는데, 이 새로운 관계성이 무엇인지는 다시 기존의 원가족을 반추하면서 의미화된다.

> 원가족은 내가 선택한 가족이 아니고, 파트너는 내가 선택한 사람이어서 확실히 [원가족과는] 자율권이나 통제권의 [측면에서] 차이가 있는 것 같고. 그게 저한텐 '거리 두기'라는 단어로 나온 것 같아요. 원가족하고 거리 두기는 힘든 것 같거든요, 같이 살면서 거리를 둔다는 건. 부모가 성인이 된 저를 동등한 위치에 놓고 상상하게 되게 힘들어하시는 것 같고. 근데 저희 둘은 나이 차이가 있다고 해도 처음부터 평등하게 만났고, 서로 평등하게 관계를 맺어왔고, 그래서 좀 더 관계 주도권, 통제권이 [원가족과는 다르게] 제 쪽에 있는 거죠. (게이 커플 동거 가구 C)**

** 이 커플은 인터뷰 당시 7년째 함께 살고 있었다. 열악한 주거공간에서 살았던 파트너가 집다운 곳에서 살았으면 하는 바람으로 함께 계약금과 보증금을 마련해 동거를 시작했다고 말했다.

개인이 관계를 정의할 수 있는 주체가 되는 '내가 선택한 관계/가족families of choice'[12]이라는 개념은 처음엔 LGBTQ와 연결된 개념이었으나 현재는 보다 넓은 의미로 사용되고 있다. 이와 비슷하게 '패치워크 가족' 또한 다양한 혈연과 서로 다른 경험을 가진 사람들이 한 가족으로 살아가는 것을 가시화하는 개념이다.[13] 기존의 전통적인 가족관계 밖에서 새로운 관계를 만들어나가는 과정은 역설적으로 가족이 무엇이어야 하는가를 재정의하는 삶의 여정이 된다.

절대, 서로에게 폭력적인 상황이나 순간들이 생겼을 때 그걸 우리가 가족이란 이름으로 감당하지 말자. 떨어지기도 하고, 괜찮아지면 다시 모이기도 하고. …… 연인이든 가족이든 [그렇게] 하면 좋을 것 같다는 생각이 …… 헤쳐 모여가 잘 돼야 하지 않나. 공동으로 할 수 있는 것과 언제든 흩어졌을 때[도 얼마든지] 자기가 살아갈 수 있다는 자기 삶의 영역이 중요하다고 생각해서. 저희 둘 다 그런 걸, 내 거 안 뺏기려고 하는 부분은 가지고 있어요. (이성커플 동거 가구 D)*

폭력적인 상황이 생기면 반드시 서로를 떠나자는 약속은 폭력 앞에서도 가족을 떠나기 힘들게 만드는 기존의 가족

---

* 30대 커플로 인터뷰 당시 동거한 지 6년 차였다. D는 가정폭력으로 인해 쉼터에 머문 적이 있었고, 대학 시절부터는 원가족으로부터 독립하여 친구와 함께 살기도 했다고 말했다. 주거비가 비싼 서울에서 조금이라도 경제적 부담을 덜고자 파트너와 동거를 결정했다고 한다.

주의를 벗어나고자 하는 삶의 의지를 반영하는 듯하다. 원가족과 다른 관계성을 맺으려는 이들의 가족실천은 '나'로서 새로운 삶의 영역을 확보하는 과정인 동시에, 새로운 '우리'를 발견하는 과정이 된다. 서로의 취약함을 공유하면서 함께 연립한다는 것은 각자가 어떤 역할로 고정되는 것이 아니다. 결혼하지 않았다고 해서 삶은 유예되지 않으며, 그 시간은 오히려 새로운 관계적 실험이 가능한 시간, 원가족과의 관계를 반추하는 것과 함께 삶의 방향을 모색해나가는 시간이 된다.

저는 아무래도 성인이 된 이후에 원가족과 함께 살아보지 않아서 어떨지 모르겠는데. 왜냐하면 한국사회에서는 주로 한 개인이 어떤 취향과 가치관, 이런 걸 쌓아가는 시간이 10대 때 많이 주어지지 않고 20대 초반에 압축적으로 이뤄지잖아요. 그러다 보니까 저는 대학 오고 나서 20대 초반에 너무 많은 변화를 확 압축적으로 겪어가지고. 지금 같이 사는 친구들은 그 기간을 함께했고 원가족은 이거에 대해서 전혀 모르고, 이러니까. 사실 원가족이 있는 집에 내려가면 뭔가 연기하고 있는 느낌이 들어요. 그냥 딸로서의 역할을 …… 지금 같이 사는 친구들이랑은 그래도 내가 있고 싶은 모습 그대로 있을 수 있다는 게 제일 좋은 것 같고. 그리고 제가 나아가고 있는 삶의 방향이나 제가 중요하게 생각하는 가치관이나 이런 것들을 그 친구들은 너무나 잘 알고, 잘 이해해줘서. 그런 공감이 공유된 상태의 사람과 같이 사는 건 되게 일상적으로 지지를 받는 느낌이 들어요. 그게 저한텐 너무 소중하고. 제가 설령 뭐, 어느 날 되게 못난 모습을 보여도, 혹은 진짜 너무 화가 나서 막 화를 쏟아내도 이들은 어쨌든 내가 어떤 사람인지를 아니까. 그게 [원가족과 생활할 때와] 제일 큰 차이점 같아요. (친구관계 3인 가구 E)*

이성애규범적인 가족중심 시민모델에서 벗어난 삶을 욕망하는 과정은 필연적으로 가족주의 사회와 불화하는 여정일 수밖에 없다. 내가 선택하지 않은 '주어진' 가족이 내 삶에 지대한 영향을 미치는 사회에서, '그 가족' 밖을 사유하고 실천하는 일은 매우 정치적인 여정이 된다. 그럼에도, 〈집 밖에서 집을 찾다〉라는 2021년 청소년 주거권 보장을 위한 정책 토론회의 제목처럼 이성애규범적인 가족중심 시민모델과 다른 삶을 욕망하는 이들은 기꺼이 기존의 가족 밖에서 가족의 의미를 새롭게 찾아나가고 있다.

「민법」 제779조가 박탈하는 것

시민과 시민의 유대는 어떻게 가능할까? 그것은 단지 개인적인 의지와 실천, 신뢰의 문제일까? 캐슬린 린치·존 베이

---

* 20~30대의 여성 3인이 함께 사는 이 가구의 동거 기간은 약 5년 정도였다. 대학에서 만난 친구 둘이 먼저 같이 살다가 이후 한 친구가 더 합류해 3인 가구가 되었다. 월세와 생활비 등 매달 일정 금액을 각출해 생활하며, 이를 위한 월례회의도 만들었다고 한다.

커·모린 라이언스는 《정동적 평등》에서 "사회는 누군가가 누군가를 사랑하게 만들 수 없으며, 마찬가지로 사랑하고 돌보며 연대하는 관계를 가질 권리도 직접적으로 강제할 수 없다. 그러나 사회는 이러한 관계들이 번성할 만한 조건을 확립할 수 있다"[14]라고 말했다. 시민과 시민의 유대는 단순히 개인적인 '선택'에 달린 문제가 아니라 가족제도를 바꾸는 것과 매우 밀접하게 연결되어 있는데, 이는 2005년 폐지된 호주제를 보면 명확하게 알 수 있다.

일제강점기에 도입된 호주제는 결혼한 여성들이 시가 혹은 부가로 호적을 바꾸도록 강제함으로써 친가에 대한 모든 법적 권리를 상실하게 하는 제도였다. 남편의 친족관계로의 편입을 강제한다는 점에서 이성애 가부장제를 유지하는 토대였고, 여성들이 심리적 소외감, 배제를 경험하게 되는 젠더정치의 주요한 축이었다. 또한 재혼 이후에도 자녀들은 성을 바꿀 수 없어 이전 아버지의 성을 계속 유지해야 했고, 그 과정에서 일어나는 차별들 또한 적지 않았다. 이는 실제 호주제 폐지의 주요한 이유로 다뤄진 것이기도 하다.[15] 나아가 가족제도는 거의 언제나 여성이 사회적으로 어떤 역할을 해야 하는지, '여성'이 무엇인지를 말하는 주요한 젠더정치로 작동해왔다. 다시 말해 양현아가 분석한 대로 "젠더적 제도로서의 가족제도가 젠더의 일반적 의미체계를 생성하는 데 기여"해왔다.[16] 가족제도는 공적으로 누가 중요한 시민인지, 또 어떤 관계가 중요한 관계인지를 규정하는 방식으로 작동한다. 호주제 폐지의 과정은 이러한 가족제도의 작동 방식을 가시화한, 인권의 관점으로 가족을 정치화한 중요한 전환점이었다.

다행히 호주제는 폐지되었고, 제도가 사라지며 '호주제 폐지되면 국민 모두 짐승 된다'라는 식의 비논리적이고 구시대적인 인식도 사라졌다. 하지만 호주제의 영향이 완전히 없어졌다고 보기는 어려운데, 그 이유는 호주제 폐지 과정에서 생겨난 「민법」 제779조(가족의 범위) 때문이다. 이 조항은 현재 함께 삶을 살아가는 동반자관계를 인정하지 않는 데 핵심적인 근거가 되는 조항으로, 제도적 차별의 토대가 되고 있다.

이은정에 따르면, 「민법」에서의 가족의 범위 정의는 "가족이 해체되어 가족 간의 전통적 유대가 소멸하고 사회적인 고립감이 증대되는 것을 우려하여 가족의 범위에 관한 상징적 의미의 규정을 둔 것일 뿐, 어떤 법률관계를 변화시킨다거나 법적 효력을 갖는 것은 아니라는 전제로 입법되었다고 한다".[17] 그러나 실제로는 '가족'과 관련된 거의 모든 사회적 영역에서 영향을 미치고 있다. '가족 간 전통적 유대'가 소멸하는 것을 막고자 제정되었다는 「민법」 제779조는 다음과 같이 가족의 범위를 규정한다.

「민법」 제779조(가족의 범위)

① 다음의 자는 가족으로 한다.

1. 배우자, 직계혈족 및 형제자매

2. 직계혈족의 배우자, 배우자의 직계혈족 및 배우자의 형제자매

② 제1항제2호의 경우에는 생계를 같이하는 경우에 한한다.

가족의 범위를 규정하는 법 조항은 실제로 가족해체를 막고 가족유대를 강화하기보다 차별과 배제를 만들어내는 데 더 큰 역할을 하고 있다. 「민법」에서의 가족규정은 개인의 삶과 죽음의 전 영역에서 어떠한 관계가 '중요한 관계'인지를 국가가 규정하겠다는 것이며, 이는 실질적인 관계들을 보호하기보다 오히려 그러한 관계들이 공적으로 인정되지 않는 차별의 근거가 된다. 시민 개인이 누구와 서로 의지하며 생활을 공유하는지와 무관하게 혈족에 기반해 가족의 범위를 규정하는 「민법」 제779조는 변화하는 사회 속 관계의 다양성을 포함할 수 없을 뿐만 아니라, 다양한 개별 법에서 사회정책의 대상이 되는 '가족'의 범위를 확장할 수 없게 하는 제약으로도 작용한다. 혈족으로 가족의 범위를 제한해 실질적인 생활공동체가 제도적 보호를 받을 수 없게 하는 것은 물론이고, 다양한 관계들을 '가족'으로 정의할 수 없도록 폐쇄적 가족주의를 공고히 하는 것도 바로 이 「민법」 제779조다.[18]

예를 들어, 주택청약제도만 보더라도 노부모부양 특별공급*은 「민법」에 규정된 직계혈족만을 대상으로 한다. 실제 노모를 부양하고 있으며 주민등록등본에 함께 등재돼 있어도 직계혈족이 아니라면 '가족'으로 인정되지 않아 노부모부양 특별공급 지원 자격을 얻지 못하는 것이다. 이러한 차별의 실

---

* 현행 「주택공급에 관한 규칙」 제27조 및 제28조에 따라 입주자모집 공고일 기준 만 65세 이상의 직계존속(배우자 직계존속 포함)을 3년 이상 계속 부양하는 무주택 세대주에게 주택공급 물량의 3% 범위에서 특별공급하는 제도를 말한다.

제 사례로, 2021년 2월 9일 국민청원게시판에는 "38년 모셨는데 계모라서 취소라니"라는 제목의 글이 올라왔다. 38년 동안 노모를 부양한 무주택자 청원인은 노부모부양 특별공급으로 청약을 넣었고, 당첨이 되었다. 그러나 당첨 이후 부양 노모가 직계혈족이 아니라는 이유로 취소되었다.

> 청원인은 "다섯 살 때 어머니를 여의고 아버지가 그 뒤 재혼한 어머니를 38년간 정성껏 모시고 살았다"며 "계부 계모는 직계존속으로 인정할 수 없다는 사실은 부모님으로 인정할 수 없다는 것과 무엇이 다른 것인가. 너무 기막히고 어처구니없는 현실에 황당하다"고 말했다. 그러면서 정부가 직접 나서서 청약 부적격 처리된 내용을 철회해주고 1년간 청약을 금지한 것도 풀어달라고 요구했다.
>
> —박상길, 〈38년 모셨는데 계모라서 취소라니?
> 어이없이 날라간 청약夢〉,《디지털타임스》, 2021.2.9.

이렇듯 「민법」의 가족규정은 실질적인 가족관계를 전혀 포괄하지 못할 뿐만 아니라, 인권의 관점에서 시민 개인에게 삶의 결정권을 보장하지 못한다는 점에서도 문제적이다. 삶의 결정권이 침해당하는 또 다른 예로, 환자가 스스로의 의사를 표현하기 불가능할 때 연명의료 여부를 어떻게 결정할 것인가에 대한 문제가 있다. 여기서는 한국의 연명의료결정권과 미국의 연명의료결정권에 관련된 일부 법 조항을 비교해보자. 우리는 어떤 방식이 시민 개인의 삶을 보호하는 것인지,

어떤 법이 실질적으로 함께 의지하는 관계들을 제대로 보호할 수 있을지를 판단해볼 필요가 있다. 우선, 한국의 「연명의료결정법」에 따르면 환자가 연명의료를 결정할 의사능력이 없을 경우 다음에 해당되는 자가 환자를 대신하여 연명의료 여부를 결정할 수 있다고 되어 있다.

「연명의료결정법」 제18조(환자의 의사를 확인할 수 없는 경우의 연명의료중단등결정)

2. 환자가족 중 다음 각 목에 해당하는 사람(19세 이상인 사람에 한정하며, 행방불명자 등 대통령령으로 정하는 사유에 해당하는 사람은 제외한다) 전원의 합의로 연명의료중단등결정의 의사표시를 하고 담당의사와 해당 분야 전문의 1명이 확인한 경우

가. 배우자

나. 1촌 이내의 직계존속·비속

다. 가목 및 나목에 해당하는 사람이 없는 경우 2촌 이내의 직계존속·비속

라. 가목부터 다목까지에 해당하는 사람이 없는 경우 형제자매

이러한 연명의료결정권의 범위는 「민법」에서 가족의 범위를 정한 것과 크게 다르지 않다. 혈연이나 결혼으로 엮이지 않은 동반자관계는 연명의료결정에 전혀 개입할 수 없다는 점에서 삶의 결정권이 침해되고 있는 것이다. 또한 한국에는

대리인제도 자체가 존재하지 않으므로, 법적인 혈연관계가 없고 환자가 사전연명의료의향서를 작성하지 않았다면 연명의료 중단이 불가능하다. 이러한 문제 또한 시민 개인의 자율성과 인권을 침해하는 결과로 이어질 수 있다.*

그렇다면 미국의 연명의료결정권은 어떨까. 김보배·김명희의 연구에 따르면, 미국의 「연명의료결정법」에서 대리인은 부부 또는 혈연관계가 아니어도 친구, 가까운 친척, 존경하는 지인 등 환자가 지정한 사람이 될 수 있으며, 대리인 변경 시에도 서면 신청으로 가능하다. 대리인의 역할은 환자의 의료정보에 접근할 수 있고, 담당의사와 의료에 관한 사항을 의논할 수 있으며, 검사·시술·치료 등에 관한 결정을 내릴 수 있다고 규정되어 있다. 뉴욕주의 대리인 지정 서식을 보면, 대리인에게 위임하고 싶지 않은 결정의 상세내용, 결정을 위임하는 기간 또는 요건, 대리인이 결정할 때 따라주기를 원하는 지시 등을 명시할 수 있다.[19] 이러한 대리인제도는 가족변동 상황을 반영하는 것은 물론이고 환자의 자기결정권을 보장

---

* 대리인제도가 없어 직계존비속만이 대리결정에 참여할 수 있도록 하는 법적 규정의 한계는 다음의 사례에서도 뚜렷하게 드러난다. 보육원에서 자란 한 장애인 청년이 갑작스레 쓰러져 응급실에 실려갔고, 중환자실에서 3주를 지낸 뒤 의료진으로부터 회생 불가 판단을 듣는다. 실질적인 양육자이자 보호자인 보육원장은 연명의료 중단을 요구했고, 의료진도 이에 동의했으나 환자의 친부 없이는 아무런 결정도 할 수 없는 상황을 마주한다. 유일하게 연락이 닿았던 환자 고모의 수소문으로 친부를 찾았고, 청년은 그제야 연명의료를 중단할 수 있었다. (허대석, 〈누가 진정 그 가여운 청년의 가족일까〉, 《한국일보》, 2022.5.16.) 삶의 결정권과 인권의 차원에서 대리인제도 확대를 시급히 다각적으로 모색해야만 한다.

하는 차원에서 시행되는 것들이다. 만약 환자가 생전에 유언장이나 의료지시서를 작성하지 않았고, 대리인 지정도 없었을 경우에는 가족동의법에 근거해 환자의 의사를 판단하도록 하는데, 이때에도 한국의 「연명의료결정법」이 가족의 범위를 규정하는 것과 다르게 환자의 의사를 존중하고 고려하는 역할의 의미로 가족을 규정한다. 성경숙의 연구를 참고하면, 그러한 규정의 내용은 다음과 같다. "①가족은 일반적으로 환자 이익을 염려한다 ②가족은 환자의 목표, 선호, 그리고 가치에 대한 대부분의 정보를 가지고 있다 ③가족은 구성원에게 친밀하게 영향을 주는 쟁점에 있어 책임 있는 결정권자로 취급되는 중요한 사회적 구성단위로서 인식할 만하다."[20]

가족의 범위를 규정하는 「민법」 제779조가 다양한 상호의존 관계망으로 연결된 시민들의 삶을 제대로 포괄할 수 없다는 것은 자명하다. 가족변동 상황을 고려해 기존의 규정을 벗어난 다른 형태의 가족관계를 포함하고자 하고는 있지만, 그 기준은 여전히 서로를 돌보고 살아가는 실질적인 삶이 아니라 사실혼이냐 동거냐, 이성이냐 동성이냐 등을 벗어나지 못하면서 '중요한 관계'와 '중요하지 않은 관계'로 관계의 위계를 정하기 바쁜 형편이다.

한 가지 예를 들어보자. 한국사회에서 사실혼과 동거관계의 구분은 1995년의 대법원 판결에 근거하는데, 그 판결에 따르면 사실혼은 '사회관념상 결혼생활의 실체가 있는 관계'이고 동거관계는 '단순한 동거 또는 간헐적인 정교관계를 맺고 있다는 사정'이다. 이에 따라 해당 판결은 동거관계는 사실혼에 해당될 수 없으며, 법률혼에 준하는 보호 또한 받을 수 없다고 명시했다.[21] 이 판결은 현재까지도 사실혼과 동거관계를 구분하는 기준으로 작용한다. 정리하자면, 사실혼은 '지속적인 정교관계'를 맺는 '복잡한 동거'일 텐데, 과연 어떻게 제3자가 '간헐적인 정교관계'와 '지속적인 정교관계'를 판단할 것이며, '복잡한 동거'와 '단순한 동거'를 구분할 수 있을까? 그런데도 한국사회는 아직까지도 관계를 제3자가 판단할 수 있다고 여긴다. 이러한 사회적 태도는 사실상 동거에 대한 뿌리 깊은 편견에 불과하다. 무엇보다 시민과 시민이 맺는 친밀적 유대를 '혼인 의사' 여부를 기준으로 제도적으로 보호할지 말지 판단하겠다는 것은 결혼을 중심으로 한 관계의 위계를 만들어내는 것일 뿐이다. 또한 가족과 관련된 제도 중 유일하게 사실혼과 동거관계를 구분하지 않는「국민건강보험법」은 직장가입자 피부양자 자격 부여에서 동성을 인정하지 않고 있다. 이성커플의 경우 사실혼이든 동거관계이든 상관없이 직장가입자 피부양자로 신청할 수 있고 그 과정도 간단한 문서 양식을 다운받아 작성해 제출하면 되지만, 동성커플은 불가능하다.*

가족구성권연구소에서 조사한 1,400여 개의 한국 현행 법 조항 중 '가족'을 언급하는 240개 조항은「민법」제779조의 영향을 받는다. 이 조항을 중심으로 주거, 의료, 돌봄, 연금, 상속, 재난 시 보호 등 삶의 전 영역의 보호 여부가 결정된다.[22] 협소한 규정으로 가족의 범위를 정해둔 사회에서 자유롭게 상호의존의 관계망을 만들어나가는, 자율적인 개인의 삶은 불가능에 가깝다. 「민법」에 규정된 가족 조항은 결혼과 혈연을 중심으로 개인의 삶은 물론이고 가족의 관계성을 강제함으로써 누군가의 시민권을 박탈하고 있다. 무엇을 중심으로 관계를 볼 것인가, 라는 질문은 시민의 삶과 직접적으로 연결되는 문제다. 혈연, 결혼, 혹은 결혼에 대한 의사 유무가 아니라 최소한 함께 거주한 기간, 나아가 실질적인 돌봄을 기준으로 법적인 보호의 기준을 재정비해야 한다. 시민 개인의 삶의 결정권을 존중하는 제도의 마련, 즉 대리인제도 등을 체계화하는 것과 같은 '사회적인 의지'가 어느 때보다 시급하다.

무슨 관계인가요?

페미니스트 철학자 사라 아메드 **Sara Ahmed**는, 이성애의 역사는 그 마음들을 사회가 이해하는 역사이며, 개인이 가진 상처가 사회적으로 공유되는 역사라고 말했다.[23] "마음을 가지고 있다고 인정받는다는 것은 상처받을 수 있다고 인정받는

---

* 이러한 차별에 대해 동성부부 소성욱·김용민은 2021년 2월 동성배우자 건강보험 피부양자 소송을 제기했다. 법원은 원고들이 서로를 반려인으로 삼아 공동생활을 하고 있고 경제적으로도 협조하며 부양관계에 있음을 인정했지만, 동성 간 결합은 혼인이 아니므로 사실혼으로 해석할 수 없다고 소송을 기각했다. 이러한 결정에 대해 가구넷은 가족의 범위를 규정한 「민법」에서도 혼인을 남녀 간의 결합이라고 정의한 바가 없으므로 동성이라는 이유로 소송을 기각한 것은 헌법상 평등원칙에 위배된다는 소를 제기하였다. 이미 2019년 11월 13일, 동성커플을 포함한 1,056명의 성소수자들은 동성커플에 대한 어떠한 공식적인 인정도 없는 것이 헌법과 국제인권법 위반이라는 것을 국가인권위원회에 제기했고, 이에 따라 국가인권위원회는 성소수자 가족구성권 보장을 위한 법률 제정 권고를 내린 바 있다.

것이다"라는 그의 말은 서로 사랑하고, 고통을 느끼고, 상실을 경험하는 그 모든 감정들이 '이해 가능한' 것으로 공감받는 삶을 의미한다. 공유되는 감정에 속하는 관계는 일상적인 영역에서, 혹은 공적인 영역에서 받을 수 있는 '무슨 관계인가요?'라는 질문에 쉽게 대답할 수 있다. 예를 들어 자녀와의 관계, 이성배우자와의 관계, 혈연부모와의 관계에 대한 이야기는 그것의 고통이나 무게, 또는 즐거움에 대한 구체적이고 반복적인 설명이 생략되어도 얼마든지 공감받을 수 있다. 다시 말해, 사회적으로 공감 가능한 생애모델은 이성애규범적인 생애모델이다.

'무슨 관계인가요?'라는 질문 앞에서 주춤하게 되는 관계는 이성애규범적인 생애모델 바깥의 모든 관계다. 동성연인, 이성 간이라도 결혼하지 않고 동거하는 연인, 혈연도 연인도 아닌 친구관계로 함께 사는 사람들 등 많은 이들은 '무슨 관계인가요?'라는 질문 앞에서 멈칫하게 된다. 이러한 관계의 친밀적 결속들은 한낱 스쳐가는 가벼운 관계로 여겨지며 있는 그대로 온전히 '출현할 수 없는' 관계로서 자리하기 때문이다. '무슨 관계인가요?'라는 질문은 그 자체로 사회적인 질문이며, 사회적으로 인정되는 관계와 그렇지 않은 관계가 존재한다는 점에서 그 대답 또한 개인이 아니라 사회가 내리고 있다. 즉, '무슨 관계인가요?'라는 질문에는 법에서 배제하는 시민권의 영역이 그대로 반영되어 있다. 누가 가족이고, 누가 친구이며, 혹은 누가 가족과 친구의 경계를 넘나드는 관계인지에 대해 그 당사자인 개인이 답을 내릴 수 없는, 그 답이 이미 정해져 있는 사회에서 시민과 시민의 유대는 단절될 수밖에 없다.

애도할 권리, 애도받을 권리

'무슨 관계인가요?'라는 사회적 질문이 제기되는 가장 대표적인 순간은 죽음 앞에서다. 애도의 장에서 던져지는 이 질문은 배제의 정동을 구성하는 토대가 된다. 사랑하는 사람, 연대하고자 하는 사람, 또는 서로 돌보고 서로에게 의지가 되는 관계를 '위해서' 내가 할 수 있는 일이 공적으로 부재하다시피 한 사회, 즉 관계를 맺는 주체의 자리로부터 끊임없이 일탈을 강요받는 사회에서 '무슨 관계인가요?'라는 질문은 배제와 고립을 양산할 뿐이다. 이성애규범적인 생애모델 바깥의 유대를, 이 질문은 계속해서 따지고 들며 기어이 배제를 만들어낸다.

[만약에] 파트너가 죽어. 그러면 나는 가서 울 수도 없다는 생각이 들었어. 그러니까 [파트너 장례식장에] 가서 거기서 꺼이 꺼이 울고 있으면 그냥 마치 그런 거야, 데이비드 보위가 죽었을 때는 울 자격이 있었어. 데이비드는 모두의 연인이잖아. 그런데 파트너가 죽었을 때는, 내가 거기서 가장 크게 울 자격이 있는 사람인데, 가장 크게 울 자격이 있는 다른 사람들이 더 있는 거야. 내가 파트너이고 와이프라는 걸 이 가족

들이 알고 있고, 그게 법제화가 되어 있다면, 내가 그거야. 그 뭣이냐, 상주야. [실제로는] 내가 상주인데 [만약] 파트너가 죽는다면 [현실적으로] 내가 상주가 될 수 없는 상황들을 상상하고 사는 거지. (동성커플 동거 가구 F)*

사랑하는 사람의 죽음 앞에서 애도의 불가능성을 인지하는 존재들. 이들에게는 애도마저 저항이고 투쟁이다.

저는 그동안 사실 장애인운동 판에 [있으면서] 수많은 중증장애인들의 죽음을 봐왔잖아요. 그걸 보면서 느낀 게, 물론 가족들이 천차만별로 다르긴 해요. 그런데 기본적으로 원가족들이 슬퍼하지 않는다는 느낌을 받았어요. 왜 흔히들 자식의 죽음은 대개 그 부모에게 씻을 수 없는 체험이라고 이야기하는데, 근데 장애를 가진 자식이 죽었을 때는 부모나 가족들이 슬퍼하는 모습을 본 적이 없어요. 본 적이 없기 때문에 …… 제 장례를 가끔 생각도 해요. 나의 가족도 이렇게 할까? 나의 가족도 아무렇지 않게 장례를 치를까? 그런 생각을 좀 많이 하고 있어서. 제 장례 주관을 원가족이 안 했으면 좋겠고. 그랬으면 좋겠어요. (장애여성 1인 가구 A)

---

* 인터뷰 당시 동거한 지 6년 차를 맞이한 동성커플이었다. 독일에서 유학 중 만나 동거를 시작해 파트너관계를 등록하고 사회적으로도 부부로 인정받으며 살아왔는데, 한국으로 귀국한 이후에는 독일에서처럼 관계가 인정되지 않아 일상적으로 차별을 마주한다고 말했다.

이렇듯 공적인 주체가 되어 애도할 권리, 애도받을 권리는 누구에게나 당연하게 주어져 있는 것이 아니다. 애도하고 애도받는 삶의 마지막 순간마저 누군가에게는 투쟁의 영역이 된다. 따라서 공적인 애도의 장을 만들어가는 것은 '정상'을 말하는 사회규범에 대항하는 영역을 확보하는 것이며, 그 영역은 불온하고 퀴어한 시민권을 생성하는 정치적인 장이 된다.

2021년 10월에 발행된 퀴어페미니스트 매거진 《펢》** 5호는 가족구성권을 다루며 중요한 한 꼭지로 퀴어파트너의 장례절차를 경험한 푸하의 글을 실었다. 그의 글은 파트너에게 위임장을 받아두었음에도 장례절차 전반에 걸쳐 자신으로서 파트너를 애도하고 함께 상실을 공유하는 장을 만드는 과정이 원가족의 '선의' 없이는 어려웠던 상황을 서술하고 있다. 그의 파트너는 자신의 사망 이후 관련된 모든 권한을 푸하에게 위임하겠다는 의사를 문서화해 분명히 밝혔지만, 현실적으로 위임되는 권한은 거의 없었다. 시신 인수, 시신 확인서 등의 각종 증명서 발급과 금융거래 확인 등 관공서를 상대하는 일 등에서 파트너로서, 삶의 동반자로서의 자격은 주어지지 않았다.***[24] 푸하는 이 장례를 퀴어/페미니스트 친구들과의 친밀한 연대를 확인하고 이후의 과제를 함께 발견해가는 장으로 의미화한다.[25] 가족구성권연구소가 연구모임이

** 이성애규범적인 가족제도와 불화하는 비혼운동의 방향을 모색하는 단체 언니네트워크에서 2016년 6월 창간해 지속적으로 발행하고 있다.

던 시절 처음으로 펼친 대중적 사업도 유언장 쓰기였다..애도할 권리, 애도받을 권리의 박탈이 현존하는 사회에서 새로운 관계성을 상상하는 과정은 필연적으로 죽음의 정치화를 동반한다.

'중요한 관계'는
고정되어 있지 않다

이렇듯 이성애규범적인 가족중심 시민모델이 공고한 사회에서, 그러한 시민모델을 벗어난 삶의 '선택'이란 사회변화를 만들어내는 투쟁의 과정이 될 수밖에 없다. "예전에는 그냥 라이프스타일 중 하나라고 생각했어요, 결혼하지 않는 게.

*** 이러한 문제와 관련해 가족구성권연구소는 2022년 6월, 공영장례를 추진하며 무연고 사망자를 위한 공적인 애도의 장을 만들어가는 단체 나눔과 나눔의 박진옥 활동가를 초대해 워크숍을 진행했다. 당시 박진옥 활동가가 공유한 자료를 참고해 장례법을 정리하자면, 2022년 이전까지 장례를 주관할 수 있는 권한은 배우자, 자녀, 부모, 자녀 외의 직계비속, 부모 외의 직계존속, 형제자매 순서로 행사되면서 사실혼관계 등 여러 다양한 관계의 사람들은 법적으로 장례를 주관할 수 있는 권한이 없었다. 그러다 2022년 5월, 보건복지부에서 고시하는 장사업무안내에서 일부 변화가 일어났고, 앞에 언급한 장례 주관 권한 순서 가장 마지막에 '시신이나 유골을 사실상 관리하는 자'가 추가되면서 사실혼관계, 사실상 가족관계, 친족관계, 장기적·지속적 동거/부양/돌봄관계가 포함되었다. 그러나 여전히 배우자, 자녀, 부모로 이어지는 법에서 정하는 순서대로 장례 주관의 권한이 부여되는 것은 동일하다. 공영장례가 가능한 시민이 누구인지, 공영장례가 빈곤문제나 공적인 애도의 문제와 어떻게 연결되는지에 대한 다양한 맥락은 다음의 세미나 후기를 참고하라. 성정숙, "애도받을 권리와 애도할 권리를 위한 관계의 재구성", 가족구성권연구소 페이스북페이지, 2022.8.2. https://www.facebook.com/familyequalityrights/photos/a.297499240837828/1113295992591478/?type=3

지금은 엄청 싸워야 되는 거구나, 라는 느낌이 강하게" 든다는 한 비혼 동거커플의 이야기처럼 가족중심 시민모델을 벗어난 관계를 맺는 시민들의 일상은 수시로 싸움터가 된다. 모든 공적인 영역에서 관계인으로 '출현할 권리'는 사회적인 존재로 살아가는 데 필수적이지만 평등하게 보장되지 않고 있다. 공적인 영역에서 관계인으로 '출현할 권리'는 법적으로, 제도적으로 관계가 인정되는 것과 결코 분리되지 않으며, 그러한 권리의 확보는 가부장제 혈연 가족제도에 대한 변화를 만들어가는 과정과 매우 긴밀하게 연결되어 있다.

삶은 수행적이고, 사회적인 의례를 통과하면서 이루어진다. 사회적 의례는 누가 그런 행동을 할 자격이 있는지, 누구의 슬픔을 중심으로 의례가 이루어지는지, 누가 다른 사람들을 그 의례에 초대할 수 있는지 등 사회적인 관계망을 통해서 구성된다. 가족관계 안에서 주체가 될 수 없는 사람들은 공적인 영역에서도 주체가 될 수 없다. 이러한 모습은 김혜진의 소설 《딸에 대하여》에서 묘사된 레즈비언 딸과 그를 이해하지 못하는 엄마의 대화에 잘 담겨 있다.

> 혼자가 아니라니. 넌 혼자야. 네가 뭐가 있니? 남편이 있니, 자식이 있니? 친구나 동료는 다 떠나버리고 말아. 공부도 많이 한 애가 왜 이렇게 철없는 소리만 골라서 하고 있어.
> ......
> 왜 남편이나 자식만 가족이 되는 건데? 엄마, 레인은 내 가족이야. 친구가 아니고. 지난 7년 동안 우리는 정말 가족처럼

지냈어. 가족이 뭔데? 힘이 되고 곁에 있고 그런 거 아냐? 왜 이건 가족이고 저건 가족이 아닌데? ……

엄마, 레인은 내 친구가 아니라고. 나한테는 남편이고 아내고 자식이라고. 그냥 내 가족이라고.

남편이고 아내고 자식이라니. 너희들이 뭘 할 수 있니? 결혼을 할 수 있니? 새끼를 낳을 수 있니? 너희가 하는 건 그냥 소꿉장난 같은 거야. 서른이 넘어서까지 소꿉장난을 하는 사람들은 없다.

—김혜진, 《딸에 대하여》, 민음사, 2017, 105~106쪽.

"소꿉장난을 하는 사람들"이라는 표현은 사회적으로 '신뢰하는 관계'로 인정받지 못하는 관계의 현실을 정확하게 묘사하는 대목이다. "소꿉장난을 하는 사람들"이라는 말은 서로를 위해서 공적으로 할 수 있는 일이 없는 관계를 의미하며, 함께하는 관계가 너무나 쉽게 '혼자'로 분리되는 사회를 반영한다. 일상 곳곳에서 서로 함께하는 관계들이 인정되지 않아 무연고화되는 사람들. 시민들은 서로 의지하고 있음에도 불구하고 삶의 곳곳에서 '한낱 스쳐가는' 관계로 전락한다. 각자의 집이 있고 일주일에 사흘 정도를 함께 지내는 방식으로 노년동거를 하는 G의 이야기를 들어보자.

[병원에서 보호자] 권리는 당연히 줘야 된다고 생각해요. 왜냐하면 우리 이 양반이 밤에 갑자기, 매실액을 냉장고에 갖다 놨거든요, 그것을 밤에 화딱지 나서 술인지 알고 마셨는데

갑자기 배가 막 아파가지고, 응급실에 실려간 거예요. 나한테 전화가 오는 거야, 빨리 병원으로 오라고. 그런데 가서 그것[보호자 서명]을 막상 하려고 하니까 만약에 거기서 치료받아서 나오면 그만이지만, 만에 하나 잘못됐을 때는 내가 그 자식들한테 원망을 어떻게 들을 거야. 그때 머리가 쭈뼛하더라고. …… 사실혼일 경우에는 사인을 해도 된다는 법이 생겨도 될 것 같아요, 나는. (노년동거 G)[*]

G는 다급한 순간에 보호자로서 사인을 한다는 게 '당연한 권리'가 아니라 자식들에게 원망을 받을 수도 있을 만큼의 '위험한 사안'으로 여겨져서 "머리가 쭈뼛"해질 만큼 걱정되었던 마음을 털어놓았다.^{**} 나이를 불문하고 이 자격 없음의 상태는 고유한 존재로서의 인간이 공적으로 출현할 수 없게 함으로써, 공적인 의례의 주체가 되지 못하게 함으로써 강제적인 소외와 배제의 정동을 초래한다. 이러한 맥락에서 A는 자신이 갑자기 의식을 잃게 될 경우 원가족보다 친구가 보호자이길 바란다고 이야기했다.

---

* 배우자와 사별 후 서로를 만나 약 15년째 서로의 집을 오가며 생활하는 70대 동거커플이다. 인터뷰에 참여한 G는 혼인신고를 하지 않았다는 의미에서 자신들의 관계를 사실혼으로 설명했다.
** 보건복지부는 2018년 3월부터 공공병원에 한해 연대보증인 요구를 폐지하도록 했다. 그러나 이러한 폐지를 강제받지 않는 민간병원은 여전히 입원 시 보호자의 서명을 요구하고, 보호자로 직계가족만을 인정하는 관행을 유지 중이다.

[친구나 지인이] 내 일상을 가장 많이 알고, 그니까 원가족은 거의 연락을 안 하고 살다시피 하는데, 그 가족들이 나에 대해 아무것도 모르는 상태인데 혈연가족이라는 이유만으로 저에 대한 선택권이 있다는 것 자체가 문제인 거고. 나에 대해 가장 많이 알고 있고, 내 일상이 어떻게 흘러가고 있는지 파악하고 있는 친구나 지인이 그걸[보호자로서의 결정 권한을 가지고] 선택할 수 있어야 한다고 생각을 하거든요. (장애여성 1인 가구 A)

혈연가족으로 삶이 귀속되는 것에 대한 저항은 자율적인 개인이 되는 필수적인 과정이기도 하다. 상호의존하는 다양한 관계가 공적으로 출현할 수 있도록 실제 제도를 바꿔나가는 것은 시민 개개인이 자율적으로 존재할 수 있는 중요한 조건이며, 또한 시민적 유대가 만들어지는 주요한 토대가 된다. 이성커플 동거 가구인 또 다른 연구참여자도 응급실과 같은 급박한 상황에서 서로의 보호자가 되지 못하는 경우를 상상하며 훗날 어머니가 돌아가시고 법적 가족이 없는 상황이 되면 많은 일들이 더 어려워질 것을 예감한다고 말했다.

앞에서 언급한 연명의료결정권뿐만 아니라 병원에서 누가 '보호자'가 될 수 있는지를 정하는 의료결정권 또한 대리인 제도가 없는 한국에서는 혈연에 기반한 법적 가족으로만 그 범위가 제한된다. 한국의 「의료법」에서 가족의 범위가 따로 정해져 있지는 않지만 기본적으로 「민법」상 가족을 상정하고 의료행위가 진행되기 때문이다. 이에 따라 뚜렷한 법 조항이 없음에도 관행적으로 환자의 보호자는 직계가족만 가능한 상황이다. 대표적으로 수술동의서 작성은 「의료법」상 환자가 의사결정능력이 있을 경우에는 환자 본인이, 의사결정능력이 없을 경우에는 법정대리인이 할 수 있도록 규정되어 있지만, 병원에서는 관행적으로 직계가족을 찾고 있다. 한편, 다음의 사안은 관행이 아니라 규정상 법적 가족으로 한정되어 있는 데, 「의료법」 제17조에 따르면 환자가 사망하거나 의식이 없는 경우에 진단서, 검안서, 증명서 또는 처방전을 교부받을 수 있는 자는 직계존속·비속, 배우자 또는 배우자의 직계존속만 가능하고, 이런 관계가 부재할 시 형제자매까지만 인정한다. 마찬가지로 의료기록의 열람과 관련된 제21조에서도 혈연관계에 국한하여 보호자의 범위를 규정하고 있다.[26] 이처럼 법적 가족으로 제한된 영역에서 대리인을 인정하는 제도가 절실히 필요하다.

다양한 관계성에 기반한 상호의존의 생태계를 구축하는 것은 일상 돌봄망의 변화와 맞물린다. 상호돌봄의 책임을 나누고 함께하는 노후를 꿈꾸며 자신들의 관계를 '친구가족'으로 명명하는 이들의 이야기를 들어보자. 이들은 1998년부터 2019년 인터뷰 당시까지 함께 살고 있었고, 페미니스트로 오랜 기간 함께 활동해왔으며, 함께 집을 마련했다.

통장이 뭐가 있는지 서로 공유해요. [여차하면 쓰라고 통장 비밀번호를] 써놓은 것도 있고. 내가 갖고 있는 게 뭔지, 보험이라든지, 조그만 통장이라도 뭐가 어디 있는지 [서로] 알아야 된다고 생각해서. 근데 이것도 제가 만약에 갔다 그러면, [그러니까] 사망신고를 하고 나면, [이후의 상속 등 과정이] 혈연관계로 인한 그걸로 넘어가잖아요. 여기는[이 관계는] 공유가[인정이] 안 되잖아요. 그러면 어떻게 하냐 하면, 사전에 뭘 써놓기는 할 수 있죠. 재산은 다 이 친구한테 준다라든지. …… [우리가 이 관계를 가족이라고 명명하는 이유는] 원가족으로부터 제가 독립했잖아요. 오빠들도 그렇고 저도 그렇고 [혈연관계라고 해서] 서로 책임져야 된다고 생각 안 하거든요. 근데 같이 사는 친구와는 가족으로서 서로, 책임을 조금, 돌봄을 하든 [무엇이든] 책임을 같이 나누자는 생각을 갖고 있잖아요. 이런 생각을 모든 동거인이[동거관계가] 갖고 있는 건 아닌 거 같아요. 미래에 대한 책임을 얼마나 나눌까, 라는 고민을 하느냐에 따라서 …… 그게 보통 말하는 가족이라는 개념 같거든요. (친구관계 2인 가구 H)*

미국의 여성학자 에스더 D. 로스블럼Esther D. Rothblum과 임상심리학자 캐슬린 A. 브레호니Kathleen A. Brehony는 공저 《보스턴 결혼》에서 결혼제도 밖에서 연대감을 갖고, 마음 맞는 사람끼리 돌보고, 서로에게 동지애를 느끼고, 일부는 로맨스도 가능한 관계를 '보스턴 결혼'이라 칭했다.[27] 이러한 가치들은

---

* 50대 친구관계로 인터뷰 당시 약 20년을 함께 살고 있었다. 주거공간에 대한 이해관계에 기반해 함께 살게 되었고, 처음에는 셋이 함께 살았으나 한 사람이 외국으로 나가면서 2인 가구가 되었다.

우리가 타인과 함께할 때 얻을 수 있는 가장 소중한 가치들이며 시민들은 자율적인 헌신으로 "미래에 대한 책임을" 나누는데도 단지 결혼도 혈연도 아니라는 이유로 사회적으로 중요하게 여겨지지 않는다.

한국사회에서는 규범적이지 않은 여러 갈래의 '시민적 돌봄'**의 실현이 너무 큰 장벽에 부딪힌다. 예컨대, 코로나19 팬데믹 상황에서 처음으로 도입된 가족돌봄휴가(무급)는 1년에 10일을 사용할 수 있도록 했지만, 돌봄의 대상은 조부모, 부모, 배우자, 배우자의 부모, 자녀, 손자녀 등 '그 가족'의 질병, 사고, 노령 또는 양육에 관한 것으로 제한되어 있다. 또한 코로나19 방역정책의 '가족' 또한 「민법」이 규정하는 가족의 범위를 벗어나지 않는다. 대표적으로 확진자 가족일 경우 무료로 받을 수 있는 PCR 검사에 적용되는 가족의 기준 역시 「민법」상 가족이다. 함께 거주하는 시민들의 실질적인 삶을 보호하지 못하는 현실이 그대로 드러나는 정책이다. 동성 동거커플, 이성 동거커플, 앞서 20여 년 동안 상호돌봄의 책임을 나눠온 '친구가족' 등 서로의 돌봄을 필요로 하는 다양한 생활동반자관계들이 돌봄을 받을 권리, 돌봄을 수행할 권리로부터 배제되는 상황이 초래된다.

** 전희경은 《새벽 세 시의 몸들에게》에서 개인은 누구나 시민적 관계를 통해서 서로에게 의존하고 연루되며, 그러한 관계는 돌봄망과 분리되지 않는다는 점에서 '시민적 돌봄'을 말했다. 자세한 내용은 다음의 글을 참고하라. 전희경, 〈시민으로서 돌보고 돌봄 받기〉, 《새벽 세 시의 몸들에게》, 생애문화연구소 옥희살롱 기획, 봄날의책, 2020.

미국 주정부별 가족돌봄휴가(유급)에서의 가족 범주

구분	가족돌봄휴가 대상 가족 범주
로드아일랜드주	자녀, 배우자, 부모, 배우자의 부모, 등록동반자, 조부모
캘리포니아주	자녀, 부모, 조부모, 손자녀, 형제자매, 배우자, 등록동반자, 배우자의 부모
뉴저지주	자녀, 부모, 배우자의 부모, 형제자매, 손자녀, 조부모, 등록동반자, 시민연대 파트너, 혈연관계에 있는 자, 가족과 같이 친밀한 자
뉴욕주	자녀, 부모, 배우자의 부모, 배우자, 손자녀, 동거인, 형제자매
워싱턴 D.C.	자녀, 부모, 배우자의 부모, 배우자, 손자녀, 형제자매, 등록동반자
워싱턴주	자녀, 동거인, 손자녀, 조부모, 배우자의 부모, 등록동반자의 부모, 형제자매, 배우자, 등록동반자, 노동자의 집에 정기적으로 거주하는 자로서 노동자의 돌봄을 받는 자, 노동자와의 관계 속에서 노동자로부터 돌봄이 기대되는 자
매사추세츠주	배우자, 동거인, 자녀, 부모, 배우자/동거인의 부모, 손자녀, 조부모, 형제자매
코넷티컷주	배우자, 형제자매, 자녀, 조부모, 손자녀, 부모, 배우자의 부모, 혈연관계에 있는 자, 가족과 같이 친밀한 자
오리건주	배우자, 등록동반자, 형제자매, 자녀, 자녀의 배우자, 동거인, 조부모, 손자녀, 부모, 배우자/등록동반자의 부모, 혈연관계에 있는 자, 가족과 같이 친밀한 자
콜로라도주	자녀, 부모, 배우자/동거인의 부모, 배우자, 동거인, 조부모, 배우자/동거인의 조부모, 손자녀, 배우자/동거인의 손자녀, 형제자매, 배우자/동거인의 형제자매, 가족과 같이 친밀한 자
메릴랜드주	자녀, 부모, 배우자의 부모, 법정 후견인, 배우자, 조부모, 손자녀, 형제자매

출처: 허민숙, 〈가족다양성의 현실과 정책 과제〉, 《NARS 현안분석》 251호, 국회입법조사처, 2022, 11쪽.

허민숙의 연구에 따르면 미국의 가족돌봄휴가가 대상으로 삼는 가족의 범주는 매우 다르다. 미국 주정부별 가족돌봄휴가(유급) 대상 가족 범주를 정리한 자료를 보면, 가족의 범주에는 매우 다양한 관계들이 포함되어 있다. 등록동반자, 시민연대 파트너뿐만 아니라 일부 주에서는 "가족과 같이 친밀한 자"를 포함하고 있고, 워싱턴주에서는 "노동자와의 관계 속에서 노동자로부터 돌봄이 기대되는 자"까지 가족돌봄휴가의 가족 범위에 포함된다.[28]

2020년 한국갤럽조사연구소를 통해 모집한 온라인 패널 3,000명을 대상으로 전남대 인문학연구원 HK+가족커뮤니티 사업단과 가족구성권연구소가 공동수행한 〈가족실천 및 가족상황 차별 실태조사〉에 따르면, 가족으로서의 법적 지위나 의료행위 등에서의 보호자 자격을 갖지 못하는 어려움은 관계의 불안정성과 사회적 배제를 경험하는 사람들이 공통적으로 말하는 가장 주요한 문제였다.[29] 삶에서 '중요한 관계'란 결코 고정되어 있지 않은데도 이를 혈연/결혼으로 고정하는 제도가 관계의 불안정성은 물론이고 사회적 배제의 경험까지 강화하고 있다. 실질적으로 돌봄을 주고받는 사람들, 실질적으로 돌봄을 나누면서 서로에게 의지하는 수많은 사람은 자신의 삶으로써 '중요한 관계'란 고정되어 있지 않다고 끊임없이 말하고 있다.

사회적 가족을 상상하기

이성애규범적인 가족중심 시민모델을 넘는 것은 상호의존과 자율적인 책임을 나누는 시민성을 새로운 사회의 토대로 만드는 출발점이다. 실질적으로 서로를 돌보고 상호의존하는 관계로의 확장들, '그 가족'을 넘는 다양한 관계들을 제도적으로 인정하는 것은 공적인 '자격 없음'의 의미를 해체하는 동시에 그러한 '자격 없음'이 초래하는 정동적 소외를 해체한다. 호주의 경우, 국세청에서 세금공제 대상이 되는 경제적인 상호협조 관계의 범위는 매우 넓은데, 여기에는 실질적인 돌봄 관계망 또한 포함된다. 배우자를 정의하는 데도 제도적 결혼 여부를 따지지 않으며, 자녀의 정의에도 생물학적인 자녀, 입양한 자녀, 의붓자녀, 실질적으로 자녀관계인 대상까지 폭넓게 포함한다. 실제 삶에서의 다양한 상호의존 관계망이 주거비용이나 생활비 지출의 증빙 등을 통해서 제도적 관계망 안으로 들어올 수 있도록 하고 있다.[30]

이처럼 새로운 시민성의 토대를 확장하기 위해 가족구성권연구소는 생활동반자법 외에도 사회적 가족 지원 조례 제정이나 '내가 지정한 1인'이 가족으로 인정되도록 하는 제도적 변화를 촉구해왔다. 일종의 대리인/연대인제도라고 볼 수 있는 '내가 지정한 1인'에 주목한 이유는 생활동반자와 동성결혼 등 법적으로 관계를 등록하는 제도가 필요한 사람들만큼이나 혼자서 살아가는, 살아가고자 하는 시민들 또한 적지 않기 때문이다. '내가 지정한 1인'은 의료결정권과 연명치료결정권은 물론이고, 가족돌봄휴가를 신청할 수 있는 권리,

강제입원이나 강제수용 등의 상황에서 법원에 구제를 신청할 수 있는 권리, 그리고 「재난 및 안전관리 기본법」에 규정된 해외재난 시 안전 여부를 확인할 수 있는 권리 등에서 법적 가족이나 동거인뿐만 아니라 '내가 지정한 1인'을 포함하도록 하는 것이다.[31]

2019년 가족구성권연구소는 현행법률 1,400여 개 조항 중 가족이 주요하게 언급되는 240개 조항에 관한 조사를 진행하면서, 한국의 현행법도 충분히 다양한 상호의존 관계의 공적 자격을 보장할 수 있는 맹아를 가지고 있음을 알 수 있었다. 이 연구에 참여한 김현경은 그 맹아를 다음의 법 조항들에서 찾아낸다.[32] 「검역법」 제16조 6항에서는 검역감염병 환자 등을 격리하였을 때 그 사실을 "격리 대상자 및 격리 대상자의 가족, 보호자 또는 격리 대상자가 지정한 사람에게 알려야 한다"라고 정하고 있다. 「국민투표법」 제59조에도 장애로 인해 기표를 할 수 없는 투표인은 그 가족 또는 본인이 지정한 사람 2인을 동반하여 투표를 원조하게 할 수 있는 조항이 있다. 또한 「공직선거법」은 과거 제60조의3에 따라 예비후보자의 배우자와 직계존비속만이 명함 배부와 지지를 호소하는 것이 가능했지만, 2011년 동대문구의원 선거의 예비후보 등록자가 이러한 조항이 평등권을 침해한다고 청구한 사건[33] 이후 2013년에 개정되어, 후보자가 지정한 1인이 선거운동을 함께하며 명함을 배부할 자격을 갖게 되었다. 「출입국관리법」 제54조(보호의 통지) 제1항에서도 "출입국관리공무원은 용의자를 보호한 때에는 국내에 있는 그의 법정대리인·배우자·직계친족·형제자매·가족·변호인 또는 용의자가 지정하는 사람(이하 "법정대리인등"이라 한다)에게 3일 이내에 보호의 일시·장소 및 이유를 서면으로 통지하여야 한다"라고 규정하고 있다.[34]

새로운 유대와 상호의존의 다양한 네트워크에 대한 인정, 그리고 삶의 보호자 자격 확대의 필요성은 가족구성권연구소가 진행한 사회적 가족에 관한 조사에서도 나타난다.[35] 사회적 가족*이란 이성애 핵가족의 전형적인 틀에서 벗어나 다양한 형태로 가족을 구성하여 살아가고 있는 시민들의 실질적인 가족형태를 지칭하는 개념이다. 가족구성권연구소가 진행한 사회적 가족 조사에서 드러난 가족형태를 간략히 소개하면 다음과 같다.

① 2인 동거 사회적 가족: 두 사람이 서로 돌보는 동반자관계로서 이성 동거커플, 친구 2인 등으로 이루어진 형태

② 주거공동체 지향 사회적 가족: 협동조합주택이나 셰어하

---

* 2016년 서울시는 1인 가구의 증가에 따라 지자체 차원에서는 최초로 「서울특별시 사회적 가족도시 구현을 위한 1인 가구 지원 기본조례」를 제정했고, 이때 '사회적 가족'이라는 개념을 사용했다. 이 조례에서 사회적 가족은 "혈연이나 혼인관계로 이루어지지 않은 사람들이 취사, 취침 등 생계를 함께 유지하는 생활공동체"로 규정되었는데, 이는 실제 1인 가구가 맺고 있는 다양하고 실질적인 관계를 반영하지 못하고 여러 생활공동체 단위가 지원대상에 포함되지 않는다는 문제가 있었다. 가족구성권연구소가 진행한 관련 연구는 사회적 가족의 의미를 경제적 협력이나 살림, 즉 일상생활, 가사, 소비, 생활돌봄을 공유하는 행위로도 확장하고자 했으며 여기서도 그 의미를 따른다.

우스, 그룹홈 등 자발적으로 주거를 함께하면서 살아가는
형태

③ 네트워크 지향 사회적 가족: 주거를 공유하지는 않지만,
서로의 생활을 공유할 수 있는 지역사회 영역 안에서 가
족의 소속감을 가지고 서로 돌봄을 수행하는 형태

사회적 가족 조사에 참여한 이들은 자신들의 관계를 '가
족'으로 지칭하는 데 주저하기도 했는데, 그 이유는 기존의
'가족'이 내포하는 폐쇄성 때문이었다. 이에 따라 가족 대신
'식구'나 '동반자관계'라는 말을 더 선호하는 경우가 적지 않
았다. 중요한 것은 관계를 지칭하는 이름이 무엇이든 그 관계
가 삶의 단위, 생활의 단위라면 제도적으로 보호받을 수 있고,
물적인 토대를 확보해나갈 수 있는 권리가 보장되어야 한다
는 것이다. 관계가 가족인지 아닌지가 아니라, 상호의존의 생
태계를 어떻게 확장할 것인가에 집중하는 사회에서 시민들의
유대도 가능해진다. 이는 곧 사회의 기본단위를 가족이 아니
라 시민 개개인으로 상정하는 것을 의미한다. 이러한 시민모
델의 사회는 상호의존하는 사람들이 반드시 한 공간에 살고
있지 않더라도 이들을 삶의 동반자관계로 상상할 수 있다. 제
도적으로 네트워크 지향 사회적 가족이 중요하게 고려되어야
하는 이유도 바로 이 때문이다.

이러한 측면에서 가족구성권연구소는 서울시의회에 네
트워크 지향 사회적 가족을 포함한 사회적 가족 지원 조례를
마련할 것을 요구했다. 현실적인 이유들도 분명했다. 동거커

플이나 주거공동체가 아니더라도, 즉 누군가와 함께 살고 있지 않더라도 가까운 관계를 맺는 이가 자신의 '법적 보호자'로 인정되기를 바라는 많은 목소리들이 있었기 때문이다. 이에 따라 앞서 언급한 '내가 지정한 1인' 제도가 병원, 연명치료, 돌봄 등에서 공적으로 제도화될 필요성을 절감하였지만, 시민들의 요구와 관련 단체들의 활발한 활동에도 불구하고 조례 제정 심사는 계속해서 보류되었다.* 시의회의 응답은 당황스럽게도 결혼제도를 강화하는 방향으로 돌아올 뿐이었다.

2022년 8월 1일, 《연합뉴스》에서는 〈'가족의 재탄생'······ 친족 아닌 가구원 100만 명 돌파, 역대 최대〉라는 기사가 보도되었다. 비친족 가구는 시설 등에 집단으로 거주하는 가구를 제외하고 혼인·혈연이 아닌 관계가 함께 사는 5인 이하 가

---

* 일본의 경우, 지자체 차원에서의 조례 제정은 성평등 차원에서 진행되고 있다. 한국과 마찬가지로 동성커플에 대한 법적 인정이 지체되고 있는 일본이지만, 지자체 조례에 있어서는 2015년 도쿄 시부야구의 조례를 시작으로 비슷한 조례가 매년 전국적으로 확산되는 추세다. 이러한 제도적 변화는 조례 제정 혹은 지자체장의 권한으로 정해지는 요강 제정 두 가지 형태로 이뤄지는데, 전달체계는 기존 성평등 프레임워크('남녀공동참획계획'에 기반한 정책과 지역센터)를 이용한다. 이러한 조례나 요강은 일반적인 법적 구속력이 없으나, 해당 지방자치단체 산하 기관이나 시설(시영 주택, 병원 등)에서는 강한 권위가 있는 규범이며, 지역 내 기업과 사업자들의 수용을 권장하는 가이드라인도 제시된다. 구체적 사례는 사망보험금 수취인에 동성파트너 지정, 이동통신사 가족 할인, 항공사 마일리지 가족 합산 등인데, 기존에는 기업별 내부 규정으로 개별적 대응에 기대던 것을 조례 차원에서 일괄적으로 권장한다는 의미가 있다. 이러한 제도적 변화는 특히 주거와 의료 현장에서 실질적 변화를 이끌어내는 것으로 평가된다. 일본에서는 2019년 기준 26개 지자체에서 동성커플이 인정되고 있고, 2021년 삿포로시에서는 동성혼 불인정에 대한 위헌 판결이 나왔다. 가족구성권연구소, 〈서울시 사회적 가족의 지위 보장 및 지원방안 연구〉, 2019, 77쪽.

구를 의미한다. 기사에 따르면 비친족 가구는 2021년 기준 47만 2,660가구로, 가구원수는 통계 작성 이래 가장 많은 수인 100만 명을 넘어섰다. 이는 특히 서울·경기 지역(47.7%)에 집중되었다. 이러한 현실을 고려할 때, 서울시에 지속적으로 제기 중인 사회적 가족 지원 조례 개정안은 제도적 안전망을 만들어내는 중요한 전환점이 될 것이다.

이성애결혼·혈연을 넘는 열린 시민적 유대는 생활동반자법이나, 동성결혼, 사회적 가족 조례 제정 등과 더불어 내가 지정한 1인을 통한 삶의 결정권 보장, 「민법」의 가족 조항 폐지, 「건강가정기본법」 개정 등을 통해서 가능해질 수 있다. 돌봄의 민주주의는 혈연이나 결혼제도에 기반하지 않은, 상호 돌봄의 관계를 존중하고 '가족같이' 친밀한 관계를 폭넓게 보장하는 방향으로 확대되어야 한다. 또한 대리인/연대인이나 동반자관계가 부재할 경우의 제도적 안전망이 마련되어야 한다. 생애에서 경험할 수밖에 없는 위기를 단순히 개인의 문제로 치환하지 않고, 취약함을 보편적인 삶의 조건으로 전제해야 한다. 사적인 영역에서의 친밀성 확대만이 아니라 삶과 죽음에 걸친 돌봄, 애도, 상호의존의 체계 확보가 시급하다.

3장

'미래 없음'의
존재들

이제까지 살펴본 것처럼 우리는 '그 가족'으로 돌아갈 수도 없고, 돌아가서도 안 되지만 제도와 규범이 많은 것들을 가로막고 있다. 우리는 어떻게 시민적 유대가 가능한 사회를 만들 수 있을까? 누가 이상적인 시민인지 아닌지 자격을 판단하고 '위기가족'과 '비정상'의 낙인을 찍는 사회를 어떻게 변화시킬 수 있을까?

이를 위해 우리는 무엇보다 가족제도의 불평등으로 연결된 다양한 소수자들의 삶에 주목해야 한다. 사회는 정상가족과 위기가족을 구분하지만, 앞서 이야기했듯 이 둘은 그렇게 딱 잘라 구분될 수 없으며 그 의미가 고정적이지도 않다. '정상가족'이라는 신화는 어떤 가족이 '위기가족'인지를 지속적으로 말하지 않고서는 유지될 수 없기 때문이다. 따라서 이성애규범적인 가족제도는 그러한 가족질서의 경계를 넘는 존재들을 끊임없이 '근본 없는 존재들'로 간주하며 이들의 관계를 '위기가족'으로 낙인찍는다. 이들은 미혼모, 성소수자, 그리고 언제나 가족에게 의존하는 존재로 간주되는 장애인 들이었고, 나아가 결혼하지 않는 독신여성 또한 출산을 '기피'하는 '이기적인 존재'로서 문제화되어왔다.[1] 이러한 가족제도는 다양한 가족상황 차별*과 연결되어 있으며, 사회적으로 공공성이 향하는 방향을 파악할 수 있는 기준으로 존재한다. 내내 주장하듯 가족구성권은 시민권의 영역이며, 따라서 가족구성권에 대한 논의는 시민을 구분하고 시민의 자격을 나누는 장치를 해체하는 과정이어야만 한다.

그러한 관점으로서의 퀴어가족정치는 국가가 정상가족, 정상신체, 정상국가 만들기 프로젝트를 통해서 시민의 삶을 어떻게 분할해왔는지에 주목한다. 인구정책에 기반한 가족제도가 지속되는 한, 누군가는 출산할 수 없는 변태적인 몸으로, 누군가는 무능하고 의존적인 몸으로, 누군가는 출산해야 하는 몸으로만 소환된다. 우리는 인구 재생산이 아닌 삶의 재생산이 가능한 사회를 모색해야 하고, 그것은 '인구'를 넘는 '사회적인 것the social'을 다시 만들어가는 과정이다. 페미니스트 정치철학자 낸시 프레이저Nancy Fraser는《전진하는 페미니즘》에서 '사회적인 것'을 사적인 가족으로 환언되지 않고 그렇다고 공식경제 혹은 국가와 동일시되는 것도 아닌 삶의 양식을 만들어내는 공간으로 의미화했다. 이에 따라 '사회적인 것'을 만들어내는 과정이란 가정에 종속된다고 여겨지는 존재들, 경제에 아무런 도움이 되지 않는다고 여겨지는 존재들이 주체인 여러 갈래 운동의 지형을 정치화하는 것과 함께 가정을 사적인 영역으로 탈정치화하는 흐름에 개입하는 것이라고 규정한다.[2] 즉, 여성에게 전가되는 돌봄노동, 신자유주의적인 자본중심의 사회를 유지하기 위한 사회복지의 축소, 경제에

---

* 가족상황 차별이라는 말은 여러 차별이 중첩되는 장으로서 가족을 보고, 가족상황에 따라 달라지는 사회적인 위치를 가시화하는 의미로 쓰인다. 가족상황 차별에 대한 논의는 「국가인권위원회법」 제2조 제3항에서 "기혼·미혼·별거·이혼·사별·재혼·사실혼 등 혼인 여부"를 이유로 차별하는 것을 평등권 침해로 규정하고 있는 것에서도 볼 수 있는데, 이처럼 가족형태에 따라 발생하는 차별과 함께 가족 안에서 발생하는 차별과 가족이 아니라는 이유로 발생하는 차별까지 가족을 둘러싼 전반적 차별을 의미한다. 예를 들어, 가족 내 돌봄을 여성이 맡아야 한다는 편견에 기반해 노동권 침해가 초래되는 것, 가족구성원 중 성소수자나 장애인이 있을 때 경험하게 되는 차별, 성소수자 동거커플이나 비혼 동거커플 등이 제도적 가족으로 인정되지 않아 강제되는 불이익 등을 포함한다. 가족상황 차별에 대한 보다 자세한 내용은 다음의 글을 참고하라. 더지, 〈가족상황 차별의 정의와 차별 사례〉, 가족구성권연구모임 6차 가족정책포럼 발표문, 2010.

도움이 되는 자와 아닌 자를 구분하는 사회제도와 같은 문제들에 개입하는 저항들은 '사회적인 것'을 다시 만들어가는 과정이라고 할 수 있다. 퀴어/페미니즘운동은 물론이고 장애인들의 탈시설운동, 다양한 가족을 구성할 권리를 향한 이주자운동 등 여러 정치적인 흐름들 또한 국가가 강제하는 삶과 관계로부터 일탈하고 저항하며 '사회적인 것'을 새롭게 만들어가는 과정이다.

정상가족, 정상신체, 정상국가 만들기

매일 아침 일찍 국회 앞에 출근하는 사람들이 있다. 그들은 국회 앞에서 매일 「건강가정기본법」 개정을 반대한다는 피켓을 들고 서 있다. 이들은 또한 차별금지법 제정에도 격렬하게 반대한다. 두 법의 성격이나 내용은 명확하게 다르지만, 이들이 반대를 주장하는 논리는 동일하다. 바로 '가족수호', 즉 가족해체를 방지하기 위해서라는 것이다. 이러한 주장에서 동성애는 우리 사회의 가치를 '교란'하는 것으로 지독하게 호명된다. 2010년 드라마 〈인생은 아름다워〉에서 게이커플을 다뤘을 때도 '가족수호'를 주장하는 이들은 드라마 상영을 반대하며 《조선일보》에 다음과 같은 메시지의 광고를 실었다. "며느리가 남자라니 웬 말이냐" "'인생은 아름다워' 보고 게이된 내 아들, 에이즈 걸리면 책임져라".[3] 이러한 말들은 현재까지도 반동성애 진영에서 반복적으로 언급되는데, 사안에 따라 다음과 같은 구호로 나타난다. "남자며느리 여자사위 합법화하려는 건강가정기본법 개정안 반대!" "건강한 가정과 다음 세대를 위해 동성애 법안(건강가정기본법)을 반대한다!"

동성애로 인해서 가족제도가 '불온'해지지도 않고, 결혼한 이들이 원하는 게 며느리나 사위의 지위도 아닐 것은 자명하다. 즉, 기존 가족제도 안에서 강제하는 그런 역할에 대한 거부는 이미 결혼제도 '안'에서부터 일어나고 있다. 또한 성소수자는 가족질서 안으로 '침범'해서 가족질서를 교란하는 존재가 아니라 이미 '언제나' 가족 안에서 함께 살아온 존재들이다. 그럼에도 반동성애 진영의 반복적인 구호들은 시민들의 삶 한가운데에 이미 당도한 다양성을 억압해야 한다고 주장하고, 성소수자를 낯선 신체이자 주체로, 일상의 '안온한' 공간을 어지럽히는 '침입자'로 배치하고자 한다.[4]

영국의 사회학자 너멀 퓨워**Nirmal Puwar**는 '성스러운 신체규범'을 통해 공적 영역에 대한 여성과 인종화된 소수자의 진입을 막아온 역사를 분석하면서 신체와 공간이 연결되어 있음을 분석한다.[5] '중심을 교란하는 낯선 신체'에는 여성이나 인종화된 소수자뿐만 아니라 장애인, 성소수자도 포함되며, 이러한 '성스럽지 않은 신체'의 출현을 가로막고자 하는 움직임은 현재도 진행되고 있다. 장애인 이동권 투쟁을 막는 논리도 이와 크게 다르지 않으며, 퀴어한 존재들의 출현을 막아내려는 혐오정치도 마찬가지다. 일상의 혐오가 작동하는 사회, 성소수자를 보호하는 사회적 안전망이 부재한 사회에서 불안정성이 증가하는 것은 당연한 일이다. 일상의 불안정성은 2021년 성소수자주거권네트워크에서 진행한 〈성소수자, 주거권

을 말하다〉 연구에 참여한 한 레즈비언의 이야기에서도 확인
된다.[6]

　　당연히 애인이랑 제가 사는 집 근처에서는 더 많이 신경을
　　쓰고. 20대 때는 이런 것 때문에 '이 집에 계속 못 살게 될 수
　　도 있을 것이다'라는 생각을 많이 했고, '동네 사람들이 우리
　　를 싫어하거나 괴롭힐 수도 있을 거다'라고 생각했던 것 같
　　아요.＊

이렇듯 가장 안전해야 할 주거공간에서마저 '침입자'로
취급되거나 혐오에 노출될지 모른다는 불안을 느끼는 것은
가부장제 성별이분법을 공고히 하는 가족질서가 당연하고 그

＊　〈성소수자, 주거권을 말하다〉 연구조사 자료집에서는 성소수자를 향한 사
회적 혐오가 성소수자의 일상에서, 특히 주거공간에서 어떤 영향을 미치
는지 확인할 수 있다. 예를 들어, 코로나19 확산 초기 이태원에서의 집단감
염을 보도하던 언론사들의 성소수자혐오가 쏟아졌을 때, 한 연구참여자는
자신이 사는 아파트 단체채팅방에 쏟아지는 게이에 대한 혐오발언을 마주
해야 했다고 토로했다. 그때 느낀 불안함을 그는 다음과 같이 이야기한다.
"[단체채팅방에서] '게이가 전염병을 퍼뜨리는 그런 거라고 얘기하지 말아
줬으면 좋겠다' 그런 식으로 얘기를 한 적이 있는데, 집중포화를 받은 거
예요. …… '게이들이 잘못한 거지, 뭐! 이런 코로나 시국에 너희들이 잘못
한 거 아니냐? 너 게이냐?' 뭐 이런 식으로 이제…… 제가 동까지 썼거든
요. ○○동의 닉네임 뭐 이렇게 해가지고 [채팅에 참여하고] 했었는데……
'○○동에 사는 네가 게이구나!' 이제 뭐 한 열댓 명 정도가 이제 욕…… 뭐
라고 해야 할까요? 안 좋은 말들을 계속 하니까…… 그리고 저는 차에다가
그 레인보우 플래그, …… 아무튼 이걸 저기 위에다 올려놨거든요. …… 그
일 때문에 그걸 제거했어요. 혹시나 무슨 해코지당할까 봐. 그때 받았던 충
격이 좀……"(시스젠더 남성, 게이, 30대) 이러한 경험은 주거공간이 단지
주거만의 공간이 아니라 관계를 맺는 공간이기도 하다는 사실을 다시금 확
인하게 해준다.

것이 '건강한 삶'으로 여겨지는 사회에서 특별히 예외적인 경험이 아니다. 이성애규범적인 가족중심 시민모델하에 생애정상성을 강제하는 사회에서 앞서와 같은 혐오와 차별은 비단 반동성애단체만의 문제가 아니라, 국가정책에서도 여실히 드러나기 때문이다. 대표적으로 반동성애단체가 개정도 폐지도 반대하는 「건강가정기본법」은 한국사회 가족정책의 핵심으로, 이 법의 개정안은 아직까지 단 한 번도 국회의 문턱을 넘은 적이 없다. 「건강가정기본법」의 주요 내용은 다음과 같다.

「건강가정기본법」의 제2조(기본이념)에 따르면 "가정은 개인의 기본적인 요구를 충족시키고 사회통합을 위하여 기능할 수 있도록 유지·발전되어야 한다". 이를 위한 국민의 의무를 규정한 제4조 제2항에 따르면 "모든 국민은 가정의 중요성을 인식하고 그 복지의 향상을 위하여 노력하여야" 하며, 제8조(혼인과 출산)에 따라 "모든 국민은 혼인과 출산의 사회적 중요성을 인식하여야 한다". 몇 가지 조항만 보더라도 이 법이 개인의 삶을 국가와 사회를 위해 동원하고 있다는 혐의를 벗기 어려워 보인다. 무엇보다 「건강가정기본법」의 가장 핵심적인 문제는 출산을 중심으로 한 사회적 재생산 기능을 국민의 중요한 '의무'로 규정하고 있다는 것이다. 「건강가정기본법」의 '건강가정'이라는 표현으로 드러나는 '정상인구', 즉 생애주기의 정상성에 대한 규범은 실제 시민들의 삶에 영향을 미치며 수많은 차별을 정당화해왔다. 이러한 법이 존재하는 사회는 구조적인 문제를 '이상적인 가족을 갖지 못한 개인의 문제'로 돌리며, 시민들의 실제 삶과 무관한 가족정책을 추진하고, 계속해서 행복한 '가족신화'를 유지하고자 한다. 이렇듯 정상가족 이데올로기는 국가적으로 이성애 결혼·혈연가족을 유지하고자 하는 데 중요한 축으로 작용하며, 국가는 이를 위한 다양한 사업을 5년마다 '건강가정기본계획'으로 발표하고 추진하고 있다.

여성가족부 산하기관인 건강가정지원센터는 다양한 가족 지원정책을 제안하고 실행하기 위해 설립된 기관이지만, 이곳의 교육사업에서도 '정상가족'에 근거한 생애각본이 분명하게 드러난다. 생애주기별 교육(예비부부 및 신혼기 가족, 아동/청소년기, 중년기, 노년기), 아버지 교육, 가족성장 아카데미 교육 등으로 마련된 프로그램은 공적인 영역에서 개인의 생애를 상상하는 방식을, 즉 예비부부, 신혼기를 거쳐 자녀의 출생과 노후로 이어지는 각본을 그대로 따른다. 변화하는 사회에서, 최소한 '예비부부' 대신 '동반자'라고만 그 명칭을 변경해도 보다 많은 시민이 교육의 기회를 보장받을 수 있을 텐데, 여전히 정책 구석구석 어디든 지극히 협소한 이성애규범적인 생애모델이 작동하고 있을 뿐이다.

이는 출생률 증가를 목적으로 진행하는 인구교육사업에 대한 꾸준한 지원에서도 드러난다. 김소형의 분석에 따르면 경기, 충북, 충남, 경남, 전북, 전남 등에서 실시되고 있는 인구교육사업은 다양한 인구정책을 홍보하고, 맞춤형 인구교육을 실시하고, 인구문제 극복을 위한 인식개선교육을 추진하는 등의 여러 프로그램을 진행하고 있다.[7] 이 같은 인구교육사업은 「저출산·고령사회기본법」 제7조의2를 법적 근거로 한다.

제2장 저출산·고령사회정책의 기본방향

제1절 저출산 대책

......

제7조의2(인구교육) 국가 및 지방자치단체는 국민이 저출산 및 인구의 고령화 문제의 중요성을 이해하고, 결혼·출산 및 가족생활에 대한 합리적인 가치관을 형성할 수 있도록 하는 인구교육을 활성화하여야 하며, 이에 필요한 시책을 강구하여야 한다.

인구교육사업에 대한 정부 예산은 2020년 약 2억 6,100만 원에서 2021년 3억 3,300만 원으로 7,200만 원 증가했다. 세부사업 중 가장 많은 예산이 증액된 것은 경기도의 '인구소멸위험지역(읍면동) 대응방안 연구'였으며, 가장 많은 인구교육사업을 실시하고 있는 지역 또한 경기도로, 총 15개 지역에서 인구교육사업을 진행하고 있다.[8]

한편, 여러 지자체에서는 과거 '농촌 총각 장가보내기'와 같은 정책으로 결혼이주정책을 확대 시행했던 것처럼 결혼을 위한 남녀 만남 행사를 추진한다. 결혼을 시민들의 삶과 결코 분리될 수 없는 것으로 보는 인식하에 '결혼친화도시'를 구축하겠다는 지자체들은 관련 조례 또한 적극적으로 제정하고 있다. 대표적인 지역으로는 인천, 대전, 전남, 충남, 그리고 부산 등이다. 조례 제정의 배경은 '출생률을 회복'하겠다는 목적으로 지자체 차원에서 진행하는 '미혼 남녀 중매' 사업의 추진 배경과 동일하다. 경상남도 진주시는 '미혼남녀 유등축제 초대행사'를 개최하고, 대구광역시 달서구는 2016년부터 '결혼 장려팀'을 신설해 구민의 배우자를 찾아주는 업무를 맡도록 하고 있으며, 인천광역시는 '결혼친화도시'를 선포하고는 총 예산 76억 원의 결혼장려사업을 추진 중이다.[9]

이처럼 활발하게 추진되는 지자체들의 '결혼장려사업'은 엄청난 비판 속에서도 꽤나 꾸준한데, 불평등의 문제를 비혼의 문제로 돌리는 의도가 아닌가 의심하지 않을 수 없다. 「결혼친화도시 조성에 관한 조례」를 통과시킨 지역 중 하나인 충청남도의 조례안 목적 일부를 보면 "경제적 부담으로 인한 비혼주의 사회 분위기를 해결하고 지역주민이 보다 더 안정되고 행복한 결혼 및 가정생활을 영위"하도록 하기 위해서라고 쓰여 있다.[10] 비혼의 증가를 단순히 경제적 부담의 문제로 보고, '행복한 가정'은 곧 '결혼생활'이라는 인식에서 결혼하지 않은 이들은 불행하고 불안정한 시민으로 여겨지며 지자체가 나서서 도와주어야 하는 대상이 된다.

이러한 정상가족 만들기 프로젝트는 정상신체·정상국가 프로젝트와 연동되며 공적으로 출현할 수 없는 존재들을 양산해왔다. 결혼을 낭만화하면서 실질적인 불평등은 보이지 않게 하는 동시에 장애가 있는 몸, 아프고 질병이 있는 몸을 가진 시민들은 정상신체가 아닌 존재로 간주되면서 시설로 보내졌다. 시설화는 정상국가·정상신체 만들기 프로젝트의 일환으로 작동한다. 조미경은 《시설사회》에서 시설화를 "지배권력이 특정 개인이나 집단을 '보호/관리'의 대상으로 규정하고, 사회와 분리하여 권리와 자원을 차단함으로써 '불능화/

무력화'된 존재로 만들며, 자신의 삶에 대한 통제권을 제한하여 주체성을 상실시키는" 것으로 규정했다. 장애인시설에서 시설 종사자를 엄마, 아빠로 부르게 하는 방식들은 가족과 함께 살지 않는 경우에도 '가족화된 사회'질서로부터 자유롭지 않은 상황을 드러내며, 장애인의 자리는 '가족 안'이 아니면 '가족 같은 시설'뿐이라는 인식을 공고히 한다.[11] 김은정은 장애가 반드시 '치유해야' 하는 것으로 여겨지는 사회에서 장애인은 함께 공존하기보다 '개조'해야 하는 대상이 되었고, '정상성'의 미래를 위해 장애가 있는 '현재'는 오직 극복해야 하는 것으로서 '치유폭력'이 자행되어왔다고 분석했다. 다른 삶을 살 수 있는 권리가 부재한 사회에서 장애는 규범적인 몸으로 변화되어야 함을 강요당하고, '장애 없는 사회'를 위해서 장애를 부정하는 폭력들이 행해져왔다는 것이다.[12]

정상가족, 정상신체, 정상국가 만들기 프로젝트는 「건강가정기본법」이 만들어지기 이전부터 정상시민과 비정상시민을 구분하는 데 적극적으로 개입해왔다. 정상시민이 아닌 존재들은 '족보에도 없는' 근본 없는 존재들로 낙인찍혔고, 그 대상은 혼혈아, 고아, 성소수자 등으로 이어지며 이들은 줄곧 실격되고 추방된 자들로 간주되어왔다. 정상가족 이데올로기는 시민으로서 적합한 역할을 할 수 없는 대상을 규정하는 데 적극적으로 적용되었고, 이는 과거 장애를 규정하던 기준에서도 뚜렷하게 드러난다. 1966년, 당시 보건사회부가 사회복지 시책 수립을 위해서 시행하고 기록한 〈장해자조사보고서〉에 따르면 8·15 해방 후 외국인(중국인, 일본인 제외)과의 관계에서 태어난 혼혈아는 '사회적 장애'의 범주에 포함되었다. 이는 장애가 '구성'되는 것과 가족정치가 연결되어 있음을 단적으로 보여주는 자료다. 또한 아버지의 국적을 기준으로 한 혼혈아 중에서도 결혼으로 출생한 경우는 '사회적 장애' 범주에서 제외되었는데, 이는 장애의 의미가 정상가족, 정상시민과 연결되어 있으며, 이에 따라 '사회적 장애'라는 낙인을 통해서 결혼제도 밖의 존재를 사회에 이롭지 않은 대상으로 규정하고자 했음을 보여주는 것이다.[13]

이러한 '성스러운 가족 만들기' 프로젝트는 여전히 진행형이며 다양한 차별들과 교차된다. 고용허가제로 인해 일하는 지역이나 공장을 떠날 수 없는 이주노동자들은 '시설화'된 생활권의 제약으로 고립된 일상을 강요받고 가족결합권 또한 갖지 못한다. 이는 여성 이주노동자의 경우 낙태를 강제당하는 상황으로까지 이어진다.[14] 정상가족, 정상신체, 정상국가 만들기에 기인한 사회적 차별은 외국인, 장애인, 성소수자, 여성들로 이어지며, 이들은 가족질서를 교란하는 '문란한' 존재들로서 집요하게 추궁되고 추적당한다. 예를 들어, 안희정 성폭력 사건에 대한 반응에서 김지은을 향한 수많은 2차 가해성 발언들이 "이혼녀이니까" "혼인 경험도 있는 사람이" "이혼까지 한 주제에" "결혼해준다고 했어도 고발했을 것이냐"라는 것들이었다는 점은 한국사회 전반에서 작동하는 정상가족 이데올로기를 엿보게 한다.[15]

국가와 사회는 가족의 틀을 매우 고정적인 것처럼 여기게 하고, 이에 따라 '정상가족'과 '취약가족'으로 시민의 삶이 분리 가능한 것처럼 이야기하지만, 실제 시민들의 삶은 생애에서 누구나 취약성을 경험하고, 동시에 고유한 관계들을 쌓아나간다. 한 개인의 삶 안에서도 삶이 얼마나 유동적일 수 있는지, 혼자 살면서도 여러 갈래의 함께 살기가 어떻게 공존할 수 있는지를 우리는 이미 체감하고 있다.

정상가족 이데올로기를 해체한다는 것은 혈연가족 안에서 태어나고 살고 생을 마감하는 것을 당연하게 생각하는 가족신화를 해체한다는 것이며, 가족이 아니라 사회 안에서 삶과 죽음이 이루어짐을 가시화하는 것이다. 우리는 '가족을 만들어서는 안 되는 존재들'이 이 사회의 차별 한가운데에 존재하고 있음을 유념해야 한다. 그 대상이 누구인지 떠올리는 것은 어렵지 않으며, 이들이 공적으로 어떤 존재로 간주되는지, 어떻게 사회적 고립을 강제당하는지, 어떻게 중요하지 않은 삶과 관계로 규정되는지도 살펴보았다. 이러한 지점에서 가족을 구성할 권리는 결코 사적인 영역의 권리에 대한 요구가 아니다. 가족을 구성할 권리는 낯설고, 불온하고, 문란한 신체들이 공적 영역에 출현하고, 관계 맺고, 일상과 사회를 함께 점유할 권리를 말하는 것이며, 이는 곧 불온한 정치의 현장이다.

한국사회가 '미래'를
상상하는 방식

결혼 가능한 몸, 출산 가능한 몸, 생산적인 몸을 구분 짓는 공고한 경계는 누가 이 사회에 속하고 누가 타자인지를 규정하는 데 중요한 역할을 담당한다. 한국사회는 결혼 가능한 몸, 출산 가능한 몸, 생산적인 몸에 대해서는 지독한 낙관주의를 퍼뜨리며 행복을 약속했고, 그렇지 않은 몸들에 대해서는 지독한 비관주의를 퍼뜨렸다. 이때 지독한 낙관주의는 지독하게 비관하는 대상에 대해 조성하는 극도의 불안과 타자화를 통해서 구축된다. 그러한 비관의 대상은 성소수자, 장애인 등이며 이들은 '쓸모없는 시민'으로서 이미 불행을 선택한 주체이자 불행을 조장하는 주체이며 행복을 '이미' 상실한 주체이자 행복할 권리와 자격을 박탈당한 주체[16]로 호명된다. 잔인한 낙관주의와 비관주의는 삶과 죽음 전반에 걸쳐 작동하는 생정치의 핵심이며, 비관주의의 대상들은 이미 미래를 상실한, '미래 없음'의 존재들로 여겨졌다. 이러한 담론이 재생산정치, 성정치, 인구정책을 통해서 가족담론과 연동될 때 '이상적인 가족'을 만들 수 있는 몸과 아닌 몸, 생산적인 몸과 아닌 몸으로 사회에 이로운 자와 아닌 자 또한 분류된다. 장애여성공감 활동가 조미경은 공감에서 발행하는 잡지《마침》의 활동가 칼럼에서 가족 '안'에 갇힌 삶에서 세상과 마주했던 경험을 다음과 같이 쓴다.

> 사춘기 시절 늘 가졌던 생각은 '어차피 사라질 생명들은 왜 태어나는 것일까?'였다. 다소 염세적인 이 질문은, 사실 나를 비롯해 세상에 드러나지 않는 생명들의 '존재의 의미'를 찾고 싶은 갈망에서 시작되었다. 10대까지 나의 세상은 오로

지 집이라는 한정된 공간과 가족과의 관계가 전부였고, 바깥 세상은 TV나 라디오를 통해서만 접할 수 있는 것이었다. 그래서 '미래'는 '나와 상관없는 것'이었고 세상에 나는 '없는 존재'였다. 그러나 장애여성운동 현장은 세상에 환대받지 못하고 부정당했던 수많은 이들이 서로의 존재를 일깨울 수 있게 한다. 이곳에서 나는 내가 세상에 존재하고 있음을, 나의 존재가 어떤 의미이고 싶은지를 알게 되었다.

—조미경, 〈길을 찾아가다〉, 《마침》 22호,
장애여성공감 부설 장애여성독립생활센터 숨, 2019, 97쪽.

가족에게 폐를 끼치는 존재는 곧 사회에 폐를 끼치는 존재로 간주되었고, 나아가 미래가 부재한 삶으로 여겨져왔다. "'미래'는 '나와 상관없는 것'"이었다는 조미경의 말에 담긴 '미래'는 재생산과 생산성에 근거한 국가발전주의적 미래를 의미할 것이다. 소수자들의 삶을 누락시키는 그런 미래와의 단절은 생존의 방식을 집단적으로 재구성하는 실천과 연결되며, 생존은 곧 자신을 지키는 저항이자 급진적인 돌봄의 현장이 된다. 호바트[HJK Hobart]와 니스[Tamara Kneese]는 권력에 대항적인 의미로서 돌봄연대의 가능성을 제기하며 이를 급진적 돌봄 radical care이라 칭했다.[17] 오드리로드[Audre Lorde]가 《빛의 폭발[A Burst of Light]》에서 자신에 대한 돌봄을 정치적 투쟁으로서 언급한 것처럼, 특정한 몸을 취약하게 만드는 세상에서 집단적으로 살아남기 위한 돌봄연대는 권력에 대항하는 집단적인 생존의 연대와 연결되는 정치적 투쟁이다. 반복되는 소수자들의 죽음 속에서 이들이 외치는 '살아남자'는 이야기는 급진적인 돌봄이자 연대의 장을 만들어내는 장치로서 작동하는 것이다.

퀴어가족정치에서 사회가 미래를 상상하는 방식에 주목하는 이유는, '이상적인 시민'의 삶과 '이상적인 미래'를 상상하는 토대에 재생산중심이 있고, 이에 따라 생산성과 무관한 존재에 대한 낙인이 연결되어 있기 때문이다. 에델만Lee Edelman 은《미래 없음No Future》에서 재생산중심 미래주의reproductive futurism라는 개념을 사용하며, 퀴어가 '미래 없음'의 대상으로 규정되는 이유는 출산과 무관한 성적 쾌락을 추구하는 존재로 간주되기 때문이라고 지적했다. '미래'를 표상하는 순수한 아이의 이미지와 무관하게 성적인 욕망만을 추구하는 존재로 퀴어가 호명되는 방식이 퀴어가 비생산적이며 사회에 이로움을 주지 않는 '미래 없음'의 존재로 인식하게 하는 토대가 된다는 것이다.[18]

미래를 상실한 존재로서의 '퀴어'에 대한 낙인은 정체성 범주로서의 퀴어뿐만 아니라 사회가 상상하는 '이상적인 미래'에서 일탈하는 모든 존재와 연결되어 있다. '정상성'을 일탈한 다양한 시민의 삶은 '퀴어한 존재'로 배치된다. 한국사회가 상상하는 미래가 정상가족, 정상신체, 경제발전주의가 결합된 것이라는 점에서, 이곳의 '이상적인 미래'는 '이상적인 가족'으로 식별되는 '이상적인 시민'의 것으로 한정되어 있다.

이에 따라 김호수가 지적한 대로, 정상가족을 경유한 정상국가 만들기 프로젝트로서 행해진 개인 시민의 삶에 대한 규율은 1961년 처음 실행된 가족계획사업에서부터 그 뿌리를 찾을 수 있다. 이때부터 가족제도는 우생학을 토대로 하는 출산조절운동, 산아제한정책 등을 거치며 사회에 이로운 '인간을 재생산'하는 기반으로 작동해왔다.[19] 조은주는 가족이 사회에 적합한 인간을 관리하고 통치하는 영역, 즉 정상시민과 비정상시민을 나누어 수용 가능한 시민과 수용 불가능한 시민을 구분하는 기준점이 되었다고 분석한다. 교육, 노동, 병역, 건강, 준법의 의무까지도 모두 가족을 통해 규율되기에 이르렀다는 것이다.[20]

가족제도는 생존단위로서의 가족, 인간재생산 단위로서의 가족, 국가의 미래를 만들어가는 대상으로서의 가족을 기본단위로 상정하며 개인의 권리 이전에 가족화된 사회질서의 일원으로 개인들을 규율하는 데 집중했다. 어떤 관계를 원하는지, 어떤 삶과 행복을 원하는지 질문하지 않은 채 '행복한 가정은 가족계획 실천부터'라는 구호를 내세우며 결합된 인구정책과 가족정책은 1960년대 이후 국가주의적 경제발전주의의 토대가 되었다.[21] 성적권리와 재생산정의를 위한 센터 셰어의 활동가 나영은 1970년대 '딸아들 구별 말고 둘만 낳아 잘 기르자'와 2012년 경기도 화성시의 '출산 대한민국을 달리게 합니다'라는 표어가 재생산중심의 미래주의와 경제제일주의를 통한 '이상적인 가족'과 '이상적인 국가'의 연결이라고 말했다.[22] 그리고 그러한 미래에 반드시 필요한 출산과 돌봄은 가족과 여성의 몫이다. "재생산의 사생활화"*[23]라는 배은경의 개념화는 이러한 현실을 잘 반영한다. 국가의 발전이 개인의 삶에도 행복을 가져다준다는 조국 근대화 프로젝트에 기반한 국가주도적 가족계획은 지독히 성별화된 발전주의 모델이었고, 그것이 바로 한국사회가 미래를 상상하는 방식이었다.[24]

그렇다면, 조국 근대화 프로젝트는 이제는 끝난 프로젝트인가?[25] 안타깝게도, 여전히 한국사회는 결혼 가능한 몸, 출산 가능한 몸, 생산적인 몸을 기준으로 시민을 선별하고 분류하기를 멈추지 않는 듯하다. '이상적인 시민'이 누구인지, '정상성'을 재생산할 수 있는 존재가 누구인지를 끊임없이 규율하는 사회에서 '정상성'을 수행하거나 재생산할 수 없는 존재들은 너무도 쉽게 권리를 박탈당하는 상황을 마주하기 때문이다. 대표적으로 법적 성별정정을 하고자 하는 트랜스젠더는 자궁적출 등 반드시 불임수술을 거쳐야 한다. 즉, 성별정정을 원하는 트랜스젠더는 재생산권을 박탈당해야만 한다. 왜 그러한가? '정상부모'를 가질 수 없는 '미래'의 아이는 '정상적인' 아이일 수 없으며, 따라서 국가의 미래에 부응할 수 없는 존재이기 때문이다. 장애인, 10대 청소년, 트랜스젠더의 재생산권 침해는 법적·문화적으로 이들의 재생산권 행사가 '금지'되어 있다는 데 기인하며, 이에 따라 이들의 권리 행사는 때로 처벌까지도 뒤따른다.[26]

한편, 정상인구, 정상가족 규범 속에서 미등록 체류자인

---

* 아이를 낳고 기르고 사회의 노동력으로 만드는 과정 전반을 개별 가족과 여성의 책임으로 국한하는 것을 의미한다. 배은경, 《현대 한국의 인간 재생산》, 시간여행, 2012.

외국인 부모에게서 태어난 아이는 태어났어도 '없는 아이', 즉 미등록 체류자가 된다. 결혼이주로 한국에 온 엄마가 영주권 취득 전에 이혼을 하면 본국 귀국을 원칙으로 하여 아이와 단절되고 '강제추방'된다.[27] 「다문화가족지원법」에서는 결혼·출산을 중심으로 결혼이민자의 역할을 강제하는 성차별을 공고히 하고 있으며, 국민의 배우자, 정확히는 '국민 남성의 여성 배우자'에 한해서만 지원하는 경향이 뚜렷하다.[28] 부모가 이혼한 이주배경아동의 기본권과 가족결합권이 보장되지 않는 상황이 너무나 빈번하게 벌어지고 있다.

미래는 무엇으로 가능한가

권명아는 공동체의 경계가 누군가를 삶의 반경에 받아들이거나 받아들이지 않는 것으로 구성된다고 말했다.[29] 정치적인 것은 실은 매우 실질적인, 삶의 구체성 속에서 작동한다. 삶의 반경이란 이 세계 속에서 내가 움직일 수 있는 동선이 어디까지인지를 설정하는 것으로, 현재와 미래의 삶에 중요한 축이 된다. 미래를 계획한다는 것은 개인의 의지로만 가능하지 않다. 이는 구조적·사회적 문제와 매우 밀접하게 관련되어 있으며, 다른 세계를 꿈꾸게 하는 타인의 연대도 큰 영향을 미친다. 10대에 탈가정해 현재는 동성파트너와 동거 중이면서 주거공간을 필요로 하는 친구들에게 공간을 나누기도 하는 I의 이야기를 들어보자.

어쨌든 떠돌다가 [움직이는청소년센터 엑시트와 청소년자립팸 이상한나라*를 알게 되고] 좋은 사람들 만나서 정착했던 것. 어쨌든 안정되고, 불안정했던 마음들 혹은 심신 뭐 이런 것들이 잘 갈무리되고 정리되면서 안정되고. 그러고 나서 어쨌든 미래를 계획할 수 있었던 것? 사실…… 안 좋았을 때 경험들, 그 경험들이 저를 너무 옭아맸는데 그걸 떨치지 못하면 사실 그 시절에서 벗어나지 못하는 거라서. 어쨌든 고민을 함께 나누고, [탈가정을] 결정한 것에 대해서 [서로] 응원을 보내고, 어려운 일 생길 때 함께하고 했던 경험들, 그런 경험들이 미래를 생각하고 계획할 수 있는 그런 힘이 됐던 것 같아요. (동성커플 동거 가구 I)

---

* 움직이는청소년센터 엑시트는 사단법인 들꽃청소년세상과 사회복지법인 함께걷는아이들이 거리 청소년을 지원하기 위해 만든 기관이다. 엑시트를 통해서 주거공간인 청소년자립팸 이상한나라를 소개받고 살아가는 청소년은 보통 탈가정 후 1~2년 정도를 전국의 쉼터에서 지내다 입주한 경우가 많은데, 이는 쉼터 생활의 일방적인 통제에 기인한 경우가 대부분이다. 청소년들은 상호존중과 평등한 관계를 배워가는 청소년자립팸 이상한나라에서의 생활을 통해서 서로의 삶을 지켜내는 힘을 배우게 된다. (한낱, 〈탈시설운동으로 나아가는 엑시트와 자립팸: 청소년과 '동료-하기'를 수행하는 현장에서〉, 《시설사회》, 장애여성공감 엮음, 와온, 2020, 252~266쪽) 앞서 언급한 또 다른 청소년단체 함께걷는아이들의 변미혜 활동가는 오랜 시간 청소년활동을 해온 경험을 바탕으로, 청소년을 보호가 아닌 권리의 주체로 사고하는 것이 탈가정 청소년의 자립을 위한 토대이자 시설이 아닌 '집' 만들기로서의 주거권을 위한 조건임을 강조한 바 있다. (변미혜, 〈탈가정 청소년의 주거, 보호가 아닌 권리로〉, 《시설사회》, 59~68쪽) 한편, 엑시트는 정부지원 없이 시민사회 후원으로만 10년을 운영했으나 재정문제로 지난 2021년 11월을 기점으로 시즌1을 끝마쳤다. 자세한 내용은 다음의 기사를 참고하라. 나경희, 〈청소년의 비상구 '엑시트'가 스스로 문을 닫은 까닭〉, 《시사인》, 2021.12.17.

그는 미래를 만들어가는 힘이 지지받는 관계 속에서 만들어진다는 것을 가르쳐준 그 관계들을 '네트워크가족'이라고 명명했다. "같이 밥 먹고, 삶을 나누고, 고통을 나누고 이러는데 우리는 가족이지 않을까, 라고 생각하다 보니까 네트워크가족 좋지 않나 이런 생각"을 하게 되었다고 한다. 그의 말처럼 지지받는 관계 속에서 함께 만들어가는 것이 미래라면, 그러한 관계를 가로막는 것은 곧 미래의 가능성을 차단하는 일이 될 것이다.

이렇듯 공동체의 일원이 된다는 것은 혼자만의 의지로 가능한 일이 아니며, 따라서 원가족을 떠나는 사람들이 함께 공존할 수 있는 사회적 관계망에 대한 보장이 절실하게 요청된다. 사회 한가운데에는 자신으로서 살기 위해 원가족을 떠날 수밖에 없는 소수자들이 존재한다. 단적인 예로, 《서울신문》이 조사한 15~18세 청소년 트랜스젠더(66명)의 44.8%는 가족에게 성정체성을 알린 후 언어적 폭력을 경험했다고 답했다. 성별표현을 저지당한 경우도 40.5%, 전환치료 강요 15.5%, 경제적 지원의 중단 13.8%, 신체적 폭력 12.9%로 나타나며 15~18세 트랜스젠더 응답자의 62.1%는 가출을 고민한 적이 있다고 답했고, 12.2%는 가출을 실행했다고 답했다. "청소년 트랜스젠더에게 탈가정은 자신을 지키기 위한 선택지"라는 걸 누가 부정할 수 있을까.[30]

가족의 지원도, 사회적 재생산의 장치도 부재한 사회에서 퀴어, 장애인, 여성, 탈가정 청소년, 이주민 들은 '미래'에 당도할 수 없는 '뒤처진 미래**backward future**'의 삶으로 전락되며,

미래가 부재한 삶을 경험한다.[31] 그러나 미국의 영문학자 헤더 러브Heather Love는 '뒤처진 미래'에서 '재생산적 명령과 낙관주의, 보상의 약속 등과 동떨어진 미래를 상상'[32]하는 급진성을 발견해내며, '뒤처진 미래'로 간주되는 가치들의 해체를 통해 미래를 재구성하고자 하는 불온성에 주목했다. 뒤처진 미래의 삶으로 호명되는 시민들이 맺고 있는 관계들은 사회에 이롭지 않은 '뒤처진 관계'로 규정되어왔으나 뒤처진 관계들이야말로 인구를 관리하고 통치하는 사회를 재구성하는 저항의 주체가 될 수 있다는 것이다. 퀴어가족정치가 주목하는 지점 또한 바로 이것이다.

국가가 '보호'하는 것

'미래 없음'의 존재들은 '보호'라는 미명하에 강제적 관계, 강제적 장소로부터 이동하는 것을 가로막히기도 한다. 이 사회에서 '보호'와 연결된 사람들은 위험한 곳을 피해야 하는 대상으로 소환되지만, 동시에 위험한 상황에 노출되었을 때 머물던 곳을 떠날 수 없는 상황에도 놓일 수 있는 존재들이다. 탈가정이 어려운 청소년, 탈시설이 어려운 장애인, 자꾸만 가해자를 집으로 돌려보내 탈폭력이 어려운 가정폭력 피해 여성 등은 모두 '보호'의 이름으로 개인의 자율성을 침해받는 배제적 보호체계 안에 놓여 있다.

전근배는 코로나19 팬데믹 시대에 시설 안에 있는 사람과 시설 아닌 곳에 있는 사람들의 경험이 "5인 이상 모이지 말라는 세계와, 5인 이상 모여서 살라는 세계"로 양분되었다고 이야기했다. 위험구역 출입 금지 및 제한 조치를 취하면서도 긴급 탈시설이라는 위험구역에서의 퇴거와 대피는 거부하는 상황은[33] '보호'라는 이름의 감금을 단적으로 드러냈다. 진은 선은 나이가 어리거나 장애가 있는 사람들을 보호의 대상으로 호명하면서도, 막상 차별받는 구조로부터 떠날 수는 없게 한다는 점에서 한국사회는 보호받는 존재들이 아니라 보호자들을 위한 사회라고 지적한다.[34] 결국, 시설을 유지하는 힘은 시설에 있는 사람들을 동등한 사회 구성원이 아닌 '불쌍한' 사람으로 재현하는 데 있으며 그러한 낙인효과는 시설화를 정당화하는 사회복지의 논리로도 동원된다.[35]

'피해'를 경험하는 시민 개인에 대한 보호가 아니라 사회를 보호하고자 하는 정책들은 가족정책과 밀접하게 연결되어 있다. 요보호 여성정책으로 시작한 한부모/미혼모 정책은 시설 지원정책을 중심으로 유지된다. 시설 지원정책은 2018년 기준 전체 한부모 154만 가구의 0.2%인 4,000명만을 보호할 뿐이지만 예산은 2018년 15억 원에서 2019년 64억 원으로 약 4배 이상 증가했다. 삶의 자립보다 시설로의 입소를 유도하는 정책에 힘을 싣고 있는 것이다.[36] 현재 시설 중심으로 보호가 이루어지는 사람들은 사회적 자립모델에서 배제되어 있으며, 보호라는 이름 아래 일시적인 '물리적' 보호에 머물고 있는 실정이다.

10대 청소년 한부모의 경우에는 삶의 결정권을 갖지 못하는 등 시민으로서의 권리가 유예되고 있다. 예컨대 부모의 동의 없이는 주거 계약을 할 수 없고 노동도 마찬가지다. 삶을 살아가는 데 필수적인 주거문제에서, 구체적으로 전세임대주택, 매입임대주택을 포함한 공공주택의 입주 신청과 주거비 신청에서 부모의 동의가 필요한 상황은 실질적인 가족 상황과 무관하게 혈연부모-자녀 안으로 끊임없이 개인의 삶을 종속시킨다.[37] 이러한 현실은 '가정 보호' '아동 보호'라는 미명하에 시민의 생존을 혈연가족에게 일임하고자 하는 국가의 태도를 반영한다.

함께 머물 수 있는 권리를 보장하라

그렇다면, 어떻게 함께 머물 수 있는 사회를 만들 수 있을까? 장애여성공감 활동가 이진희는 〈장애여성은 잔여가 아니라 평등을 일구는 동료가 되길 바란다〉라는 글에서 "장애여성 한 명이 당당하게 사는 삶을 존중하고 지원하는 것이 곧 사회를 변화시키는 것이다"[38]라고 지적한 바 있다. 다시 말해 개인의 존엄을 고려하지 않는 정책이나 잔여적인 지원*이 아

---

*　박용수에 따르면, 잔여적인 지원은 국가의 개입이 최소화되는 복지제도, 즉 개인과 가족, 자원봉사를 통한 지원이 어려울 경우에 한해 국가가 지원하는 복지제도를 의미한다. 이러한 복지제도는 수급기준의 자격이 매우 까다로워 수급대상자의 치욕감을 유발하는 경향이 크다. 사회권 보장이 취약한 복지제도라고 볼 수 있다. 박용수, 〈1990년대 이후 잔여적 한국 복지국가 발달의 주요 배경〉, 《국제정치논총》 47권 2호, 한국국제정치학회, 2007, 98쪽.

니라 함께 생활할 수 있는 지역, 관계, 사회를 확보할 수 있도록 하는 사회권이 보장될 때 함께 머물 수 있는 사회로의 변화도 가능하다는 것이다.

그중에서도 주거권은 다양한 시민이 함께 정주할 수 있는 중요한 기반이다. 주거는 머물 수 있는 물리적인 공간일 뿐만 아니라 관계를 맺는 곳이기도 하므로 시민들이 함께 세대를 구성하면서 서로를 돌볼 수 있는 상호의존의 생태계를 만드는 데 핵심적인 조건이기 때문이다. 그러나 현재 주거정책은 혈연중심의 세대 구성, 신혼부부, 1인 가구 중심으로만 제한적으로 운영되고 있다. 주민등록법상 한 세대로 함께 주거를 공유하고 있더라도 혈연가족이 아니면 「주택임대차보호법」의 대상이 되지 않으며, 이로 인해 삶의 불안정성이 더욱 심화되기도 한다. 예컨대 임대주택 임차인이 혼인 등으로 퇴거할 경우, 해당 임대주택에 계속 거주하고자 하는 비혈연 관계 가족은 임차 승계가 불가능하다. 이러한 문제점은 남편의 사망 후 시어머니와 함께 지내던 며느리가 재혼으로 퇴거하고 시어머니에게 임대주택을 양도하는 것이 불가능한 사례로 가시화되었고, 2012년 관련 법이 개정되었다. 그러나 이때의 개정도 「민법」상 가족으로 확대되었을 뿐이다. 다음 E의 이야기처럼 친구 3인이 한 세대를 구성하고 있는 경우에는 주거정책의 지원으로부터 철저히 배제되는 게 현실이며, 이러한 상황에서 함께 머물 수 있는 기반은 매우 취약해질 수밖에 없다.

아무래도 저희는 지금 당면한 가장 큰 문제는 주거안정이어 가지고. 이게 지금으로서는 저희가 같이 들어갈 수 있는 어떠한 임대주택도 없는, 그런 [상황이에요]. 그래서 다 1인 가구로 찢어지는 방법밖에는 없는 거예요. 저희가 어떤 조건을 통과하더라도 이 관계를 증명해서 안정적인 주거공간을 얻기가 너무 힘들고. 그래서 사실 파트너십이[생활동반자법 같은 제도가] 되었든 뭐가 되었든 필요한 게, 이런 조합도 하나의 가구 아래 묶일 수 있으면 좋겠다는…… (친구 3인 가구 E)

가족을 구성할 권리는 주거권과 매우 밀접하게 닿아 있는 영역이다. 1인 가구가 증가한다는 이유로 1인 가구에 대한 주거정책만을 강화하는 것은 결코 대안이 될 수 없으며, 오히려 그것이 어떻게 다양한 연결과 결속을 제한하는지는 J의 이야기에서도 드러난다.

세대와 상관없이 가족구성을 해서 입주할 수 있게끔 주택유형을 열어놔야 된다[고 생각해요]. 청년 1인 가구들의 주거 상황이 열악하다고 하면서 1인 가구용 주택을 많이 공급하고 있는데, 물론 그것도 한 축이 필요하지만, 단지 그게 아니라 다양한 유형의 수요자 맞춤형 주택들이 필요하고. 본인들이 [정부가] 상상하는 가족구성으로 수요자를 책정하지 말고, 다양한 사회적인 니즈들을 파악해야 된다고 생각하고 …… 다른 한 축으로는 그런 게 있더라고요. 사람들이 어떠한 시스템, 정부정책, [정해져 있는] 공간으로 자신의 삶의[삶에 대한]

상상을 제한하는 것도 있잖아요. (주거공동체 내 1인 가구 J)*

혈연관계나 신혼부부, 1인 가구를 중심으로 한 주거정책은 함께 잘 살고, 함께 연립하고자 하는 다양한 시민들의 삶을 전혀 고려하지 않는다. 비혼·비혈연 가족의 주택자금 공동대출과 임대주택 입주에 대한 시민들의 요구는 절실한 상황이다.

한편, 부양의무제가 일부 완화되면서 부양의무자와 피부양자의 세대가 분리되어 있고, 분리된 가구의 소득이 기초수급 기준을 충족하는 경우에는 주거급여를 받을 수 있게 되었다. 단, 혼인을 하지 않은 30세 미만의 청년은 따로 독립해서 살더라도 원가족과 세대가 분리된 것으로 보지 않기 때문에 주거급여를 받을 수 없다.** 이렇듯 혈연가족으로 끊임없이 삶이 귀속되는 사회에서 가족제도의 문제를 방치한 채 청년세대의 빈곤과 삶의 불안정성을 논의한다는 것은 모순적이기까지 하다.

많은 사람이 노후의 삶으로 바라는 것은 지내던 곳에서 익숙한 사람들과 함께 머무는 것이라고 한다. 2019홈리스주거팀***이 서울시 양동 재개발 지역 쪽방 주민들을 대상으로

---

* J가 함께하는 주거공동체는 인터뷰 당시 총 19명이 다양한 가구로 어우러져 있었다. 이들은 주로 텔레그램을 통해 회의를 하고, 서로가 지켜야 할 공동생활 규칙을 만들기도 하며 일상을 공유한다고 말했다.
** 이에 대한 문제 제기로 서울시 마포구는 30세 미만 저소득층 청년이 부모와 분리해서 사는 경우에도 주거급여 분리 지급을 실시한다.

진행한 조사에서 83.1%의 사람들은 재개발 이후 자신들이 살았던 양동으로 다시 돌아오고 싶다고 답했다. 동네가 익숙하고(24.3%), 이웃들과 계속 함께 지내고 싶기 때문(15.7%)이라는 응답이 적지 않았다.[39] 사람들은 단지 주거공간이 좀 더 나아진다는 이유만으로 홀로 임대주택에 들어가기를 선택하지 않는다. 가난이 곧 고립이고 단절이라는 인식이 오히려 시민들의 삶을 단절시키고 있는 게 아닐까. 가난하면 관계가 없고, 삶이 없을 것이라고 보는 것, 그러한 인식이 정상가족 이데올로기와 만나 무수히 많은 삶을 함부로 재단한다.

시민들의 다양하고 실질적인 삶의 욕구를 파악하는 것은 시민의 삶에 기반한 사회를 상상하는 가장 중요한 토대다. 앞서 언급한 2020년 전남대 인문학연구원 HK+가족커뮤니티 사업단과 가족구성권연구소가 공동수행한 〈가족실천 및 가족상황 차별 실태조사〉에 따르면, 애인/파트너가 있지만 현재 함께 살고 있지는 않은 221명 중 30.3%는 동거를 선택하지 않은 이유로 '함께 살 주거공간을 마련하지 못해서'를 꼽았다. 그 뒤로 향후 파트너와의 관계가 계속 유지될지 불확실해서(16.3%), 동거로 인한 생활상의 변화가 부담스러워서(15.8%), 현재의 파트너와 동거생활이 잘 맞는지 확신하지 못해서(12.2%), 부모 또는 자녀 등 가족의 반대로 인하여(10.9%), 동거가족에 대한 사회적 편견 때문에(10.4%)가 이어졌다. 동거를

*** 홀리스 주거권 보장을 위한 연대모임으로 홀리스행동, 동자동사랑방, 빈곤사회연대 등 12개 단체로 구성돼 있다.

선택하지 않는 이유가 사회적 편견보다 주거공간 마련의 어려움에 있다는 점은 동거에 대한 사람들의 인식 변화를 감지하게 하는 것과 함께, 가족구성권을 위한 시급한 정책 과제가 주거문제에 있다는 사실을 확인시켜준다.[40]

주거공동체를 만든 K는 생애정상성과 정상가족을 중심으로 삶의 안전망을 상상하는 사회는 이미 변화하고 있는 시민들의 삶을 제대로 보호할 수 없다고 강하게 주장했다.

> 우리 누이도 독거노인이고, 큰형님도 독거노인이고, 우리 작은형도 그 부부만 살고 있고, 이게 지금 우리 가족의 문제만은 아니라는 거죠. 이게 뭐 당연히 빤히 다가오는 미래인데, '나이 들어서 믿을 것은 가족밖에 없어'라는 게 성립되지 않는 사회라면 우리는 서로가 서로를 돌볼 수 있는 사회를 만들 수밖에 없는, 만들지 않으면 안 되는 상황이라는 거죠. (주택협동조합형 주거공동체 내 3인 가구 K)*

국가는 여전히 기존의 가족정책을 고수하지만 시민들은 이미 일상에서 생애정상성의 변동을 체감하고, 그로 인한 인식 변화 또한 나와 이웃, 지역의 삶에 뿌리내리고 있다. 정상가족이 허구라는 걸 알아챈 사람들은 다른 삶을 모색하고자

---

*　연령대와 성별, 가구형태가 다양한 사람들이 조합원이 되어 지은 공동주택에 살고 있는 입주자로서 어머니, 아내와 함께 입주한 지 3년이 되었다. 14곳의 전셋집을 거쳐 이 집에 입주했다는 K는 이곳에서 처음으로 '내 집과 우리 마을'이라는 정서적 안정을 느끼게 되었다고 말했다.

다각적으로 새로운 유대와 연대의 길을 찾아 나섰다. 이제 국가가 이 다양한 시민적 유대를 보장하며 상호의존의 생태계를 구축하는 책무를 져야 할 때다.

4장

원본 없는
가족/친척 만들기

새로운 관계의 문법을 '발명'하는 것은 그야말로 사회를 다시 만드는 과정이다. 그리고 이 사회에는 이미 새로운 가족/친척에 대한 사회적 안전망이 부재한 상황에서도 '나'로 살고자, 관계의 존엄을 지키고자 나름의 관계를 실천하며 살아낸 소수자들이 있다. 우리는 익숙한 것이 안전하다는 것, 비슷한 관계를 맺고 비슷한 생애주기를 따르며 비슷한 삶을 살아야만 사회적으로 공존할 수 있다는 '당연한' 전제에 저항해야 하며, 이는 근본적으로 다양한 가족형태에 대한 인정을 요구하는 문제이기 이전에 나와 타자의 삶에 대한 새로운 관습과 관계의 문법을 요청하는 문제다.

이러한 차원에서 필자가 주장하는 퀴어가족정치는 삶의 차이를 발굴하고 차이를 확장하며, '가족은 무엇이다'라고 단일하게 정의하지 않은 채 다양한 관계성 그 자체를 사회적 의제로 만들어가는 것이다. 따라서 퀴어가족정치의 핵심은 새로운 가족모델을 제시하는 것이 아니라 새로운 관계망을 상상할 수 있는 인식의 토대를 마련하는 것이며, 퀴어한 삶과 관계성이 세대를 이어 전수되고 이어질 수 있도록 시민 간의 다양한 유대를 정치화하는 것이다.

가족을 재구성하고자 하는, 가족을 구성할 권리에 대한 논의는 기존의 가족 관계 안에서 통용되어온 관계의 방식들, 그리고 나와 타자 사이의 단절과 폐쇄성, 차별과 불평등을 개인의 문제로, 특정한 인구집단의 문제로 귀속시키는 그 가족질서를 해체하는 데 집중해야 한다. 단지 어떠한 가족형태의 제도적인 '포함'만을 주장하는 식의 논의는 끊임없이 또 다른 낙인을 만들어내는 결과로 이어질 뿐이기 때문이다. 이는 한부모, 비혼모, 결혼이주 여성들이 사회복지의 대상으로 포함된 이후에도 차별이 해소되기는커녕 지속적인 '위기가족'으로 호명되고 계속해서 '복지의 대상'으로만 분류되는 현실을 통해서도 이해 가능하다.

이성애규범적인 가족중심 생애모델에서 '뒤처진 관계'로 간주되어온 관계성이 사회를 구성하는 가치로서 새롭게 출현하기 위해서는, 규범적인 관계 밖의 다른 가치들을 사회적인 의제로 만들어가는 퀴어가족정치의 실천을 요청한다. 차이를 삭제하지 않는 상호의존과 책임의 네트워크를 구축한다는 건 구체적으로 무엇일까? 이 장에서는 단일하지 않은 난잡한 친밀성, 트러블과의 공존, 다양한 생활돌봄의 양식, 저마다 다른 같이 살기의 계기와 조건들을 살펴보며 사회적 안전망이 부재한 상황에서 오로지 '신뢰만 있는 관계'의 의미에 대해 이야기해보고자 한다.

난잡한 친밀성의 정치

여러 갈래로 관계를 확대한다는 것은 이성애 결혼·혈연 가족 단위로만 상상해온 사랑, 돌봄, 연대를 그 전제부터 다시 상상해야 하는 것과 연결된다. 이러한 상상을 통해 다시 구축되는 상호의존의 생태계는 기존의 주류적인 삶과 불화하면서 탄생하는 세계이며, 이는 새로운 접촉과 연결성을 모색할 수 있도록 하는 시민권 보장의 영역과도 맞닿아 있다. 이 책에서는 연결성의 확대를 규범적인 친밀성의 모델에 대항하면서 여러 갈래의 가치들을 가시화한다는 측면에서 '난잡한 친밀성의 정치'로 규정하고자 한다. 난잡한 친밀성의 정치는 '소중한' 친밀적인 세계를 하나로 규정할 수 없다고 보며, 결혼/혈연중심의 친밀성으로 귀속되지 않는 여러 관계망에 대한 상호의존을 가시화하는 것이다.

2017년 런던에서 학술모임으로 시작한 단체인 더 케어 콜렉티브The Care Collective는 《돌봄선언》에서 규범적인 친족모델의 돌봄에 대항하는 의미로서 '난잡한 돌봄'이란 개념을 사용했다.[1] 이때 난잡함promiscuous이란 성애적인 것만이 아니며, 불공평하고 불합리한 게 많은 친족단위의 돌봄에 대항하여 돌봄의 위계를 급진적인 평등주의로 만들어가는 방향 전환이 핵심이다. 즉, 난잡한 돌봄으로서 시도되는 여러 실천은 신자유주의적인 파편화된 삶을 추구하자는 것이 아니라, 예기치 않은 연대, 나와 타자의 새로운 친밀적 연결이 어떻게 추동되고 확대될 수 있는지, 그리고 우리가 가장 취약한 순간들, 예컨대 질병이나 에이즈 등으로 취약해질 때 어떤 새로운 커뮤니티가 생성될 수 있는지를 살펴보자는 의미인 것이다.

이처럼 기존의 주류적인 삶의 양식과 불화하면서 새로운 책임과 헌신과 연결성을 모색하는 난잡한 돌봄은 에이즈 관련 직접행동단체인 액트업ACT UP 활동가이자 HIV감염인 당사자이며 미술평론가인 더글러스 크림프Douglas Crimp가 《애도와 투쟁》을 통해 에이즈 위기에서 생성된 게이공동체의 연대와 돌봄을 '문란한 돌봄'으로 의미화한 것과도 맥을 같이한다. 더글러스 크림프는 게이들의 성적 실천의 공동체를 단순히 문란한 섹스의 장으로, 상호의존이나 친밀성과 무관하게 가볍게 스쳐가는 연결로만 규정 짓는 시각에 대항하면서 낙인의 언어가 아닌 퀴어로서 살아낸 삶과 연대의 조건으로 '문란함'을 위치 짓는다.[2] 이는 서로의 삶에서 지워낼 수 없는 '소수자'로서의 관계성과 취약함을 연대와 상호의존의 토대이자 시민성으로 재의미화하는 작업이기도 하다. 이러한 지점에서 난잡한/문란한 돌봄은 서로의 삶을 지우지 않는, 차이를 존중하는 새로운 연대와 상호책임, 그리고 헌신을 수행하는 '난잡한 친밀성의 정치'의 토대가 된다.

난잡한/문란한 친밀성의 정치는 혈족/친족을 넘는 여러 갈래의 네트워크와 의존망에 주목하며, 사회적 소수자가 어떤 맥락에서 새로운 관계성을 실험하고 또한 그러한 관계의 문법들을 추동하는지를 가시화한다.[*] 이러한 작업이 필요한 이유는 돌봄연대와 관계의 결속들이 많은 경우 삶의 위기의 순간에 탄생하기 때문이며, 따라서 그러한 연대와 관계의 결속을 보장하고 확장하는 데 필수적인 가족구성권이 우리의 삶과 얼마나 밀접하게 관련된 권리인지를 보여주기 때문이다. 다시 말해, 가족구성권은 '어떻게 함께 잘 살고, 함께 잘 죽을 수 있는가'에 대한 새로운 인식을 요청하는 문제다.

도나 해러웨이[Donna J. Haraway]가 《트러블과 함께하기》에서

---

[*] 김대현은 1980~1990년대 게이 하위문화의 장과 관계들이 형성된 종로·을지로·신당 등이 낙인과 배제의 공간인 동시에 비규범적인 결속과 친밀성의 공간이었음을 분석한 바 있다. 김대현, 〈1980-90년대 게이 하위문화와 대안가족의 구성〉, 《구술사연구》 제12권 1호, 한국구술사학회, 2021, 55~100쪽.

말했듯 두터운 현재 안에서 함께 잘 살고 죽는 것을 배우는 실천으로서의 기이한 친척 만들기는 예기치 않게 협력하고 결합하는 삶, 인간예외주의가 아닌 반려종으로서 상호공존하는 삶의 추구이며, 미래가 아닌 현재형으로서의 '트러블과 함께하기'를 의미한다. "가장 다정한 것들이 반드시 핏줄로 엮인 친척"은 아니라는[3] 그의 말은 태생에 의한 연결과 무관한 다양한 친족과 돌봄망의 중요성을 강조한다. 만약 '불온서적' 단속이 여전히 존재했다면 '자식이 아니라 기이한 친척을 만들자'라는 주장이 담긴 그의 저서는 인구정책에 몰두하는 한국에서 아마도 불온서적으로 분류됐을 것이다.

주디스 버틀러 또한 〈친족/가족은 항상 이성애적인가? Is Kinship Always Already Hetorosexual?〉라는 글을 통해 생물학적인 것과 무관하게 많은 친족/가족관계가 존재한다고 언급하며, 삶의 재생산과 죽음에 연루되는 다양한 실천적 관계의 모델로서 친족/가족을 상상한다면 상호의존적인 삶의 관계망 또한 친족/가족으로 볼 수 있다고 강조했다. 그러면서 다양한 여성들의 네트워크나 일부는 생물학적으로 연결되지만 일부는 아닌 상호의존의 관계망, 그리고 노예제로부터 이어지는 혈연과 무관한 소수자들의 연대적인 네트워크 등을 다양한 친족/가족 관계망으로 언급한다.

태어나고, 성장하고, 감정적인 의존과 지지망을 만들어가고, 세대가 연결되고, 아프고, 죽어가고, 죽는 그 모든 과정은 독립적이지 않고, 커뮤니티와 우정이나 혹은 정부의 규제로부

터 벗어나 있지 않다. 이러한 일련의 모든 것에서 인간은 상
호의존되어 있고, 이러한 상호의존을 통해서 삶의 재생산은
이루어진다. 이러한 상호의존적인 모든 실천들을 친족/가족
실천이라고 호명하고자 한다.

—주디스 버틀러, 〈친족/가족은 항상 이성애적인가?〉,

Differences Vol.13 No.1, 2002, 15쪽.

　상호의존하는 모든 실천을 '친족/가족실천'이라고 하는
것의 핵심은 가족/친족관계의 원형이 없다는 이야기일 뿐만
아니라, 우리가 이미 여러 요인들로 연결된 친족망 안에서 살
고 있다는 것이다. 인류학자 메릴린 스트래선**Marilyn Strathern**은
일반적으로 '친척' '친족'을 뜻하는 'Kin'을 여러 다양한 관계
들을 연결하는 관계망으로 언급한다.[4] 즉, 친족망은 일부는
생물학적인 가족, 다른 일부는 비생물학적인 가족, 비생물학
적인 네트워크, 커뮤니티 등 여러 갈래로 구성된다는 것이다.
친족/가족실천이란 바로 이러한 관계망의 형성이라 볼 수 있
으며, 따라서 삶은 곧 난잡한 친밀성의 현장 그 자체다. 핵가
족이든 대가족이든 이성애 부부든 4인 가족이든 누구든 생물
학적인 가족에만 의존해서 살아가는 사람은 아무도 없다.

　'난잡한 친밀성의 정치'는 폐쇄적 가족주의가 정말로 실
현 가능한지를 질문하며, 동시에 여러 갈래의 상호의존적 네
트워크를 찾아가는 실천을 동반한다. 커플중심의 일대일 관
계 외에도 상호의존하는 관계를 확장하고자 하는 한 퀴어커
플은 그 이유를 이성애 결혼관계와 다른 시민모델을 찾아가

는 과정으로 설명했다.

저희는 확장하고 싶어 해요. 이 식구 같은, 서로 의지하는 사람을 일대일로만 만들고 싶어 하지 않는 게 커요, 둘 다. 그래서 좀 같이, 서로 돌볼 수 있는 사람들을 많이 탐색해온 거 같고, 실패해왔고. 지금 현재는 그래서 한 명이 있어요. 그 친구는 가까운 데 살거든요. …… 그냥 셋이서 식구처럼 웬만하면 밥 같이 먹고. 저희 텔레그램 방이 있는데 방 이름이 '밥'이에요, 뭐 먹을지 얘기하는. 그렇게 지내는 중이죠. 저희 좀 만족스러워해요. 둘이서만 의지하는 것도 좋긴 한데 저희는 좀 더 확장하고 싶은 마음이 있어요. …… 우리가 항상 둘이 놀고 둘이 밥 먹고 여행을 가도 [서로가] 제일 편하니까 둘이 여행을 다녀버릇했는데 [이렇게 지내면] '결혼한 친구들이랑 뭐가 다르지?'라는 생각이 들더라구요. 이 친구[파트너]는 원래부터 좀 부족을 이루면서 살고 싶어 하는 친구인데, 제가 개인적인 사람이라 그 열망을 포기하고 있었던 거여서. 한 명에게만 기대면서 사는 것은 내 삶에도 이롭지 않은 것 같다, 나의 지지적인 관계망은 좀 넓을수록 좋지 않을까 해서 둘이 같이 탐색을 했던 거 같아요. (동성커플 동거 가구 L)*

---

* 동거한 지 7년 차인 커플로 각각 바이섹슈얼 정체성과 레즈비언 정체성을 가지고 있다. 이들은 함께 살고 싶은 마음과 함께 당시의 경제적 어려움과 주거불안 문제를 겪으며 동거를 결정했다고 말했다.

확장, 밥, 서로 의지, 탐색, 어울림, 지지 관계망. 이런 말들에서는 하나의 관계로 수렴되지 않으려는, '난잡한 친밀성'의 연결을 그리는 시각이 엿보인다. 난잡한 친밀성의 정치가 '완성'된 관계로서의 의미가 아니라 일종의 지향을 의미한다는 것을 보여주는 이야기이기도 하다. '열린 관계'를 지향한다는 또 다른 이성 동거커플도 커플중심주의에 대한 비판적인 시각을 보여주었다.

두 사람의 끈끈한 관계가 중심이다 보니 그 외의 관계들에서 오는 지혜라든지 삶의 경험들, 성장들 이런 것들이 [아쉽다.] 사실 저는 일하면서, 많은 사람을 만나면서, 옛날에[는] 사람이 진짜 싫었는데 지금은 사람으로 얻는 에너지가 많고. ······ 내가 결혼을 선택하지 않았기 때문에 모두와 다 살 수 있다고 생각했는데 그건 또 아니구나····· 이 사람과 커플이기 때문에 다른 사람이랑 살 수 없는 게 있는 거구나, 생각이 들면서 약간 저한테는 결혼보다도 커플중심주의에서 벗어나고 싶은 생각이 드는데. 그게 또 저도 자유롭진 않거든요. ······ 더 많은 사람들이랑 살고 싶다는 욕구가 조금 있어서 저는. 파트너는 약간 원하지 않지만 저는 한 서너 명이서 같이 살면 좋겠다 생각하고 있어서 ······ 어쨌든 가족이라고 인정받지 못하지만 사회에서 좀 이상한 사람으로 계속 표 내면서 사는 거에는 되게 만족하는 것 같아요. (이성커플 동거 가구 D)

삶의 지향점이 어떠하다는 것은 말 그대로 그러한 삶이

현재 '완성'되었다는 것을 의미하지 않는다. 현재 꼭 그러한 삶을 살고 있다는 의미도 아니다. 가족으로 인정받지 못해도 계속해서 "이상한 사람으로" 남고자 하는 '그 의지'만으로도 새로운 관계의 문법을 발명하며 다양한 사람들과 상호의존하겠다는 삶의 지향점은 분명하게 드러날 수 있다.

한편, 혈연/결혼관계와 동등하게 가족으로 인정받고자 하는 욕구와 주류문화에 동질화되지 않겠다는 의지가 공존한다는 사실을 통해서 알 수 있는 것은, 동등한 권리의 의미가 '동질성'을 의미하는 것은 아니라는 사실이다. 다양한 상호의존의 관계망, 난잡한 친밀성을 지향하고자 하는 사람들은 공통적으로 다르게 살아도 괜찮은, 그것 자체로 존중받을 권리를 말했다. 우리가 꿈꾸고, 실천하고, 만들고자 하는 세계는 계속해서 이상하게 살아갈 수 있는 사회, 낯설게 남을 수 있는 사회, 지속적인 탐색이 가능한 세계다. 그러한 세계를 상상하는 낯선 욕망들은 여러 갈래의 네트워크형 관계를 지향하며 주거공동체를 만들기도 한다.

원래 둘이 살고자 했던 게 아니고 셋, 넷 이렇게 같이 살고자 했던 거라서. 둘이서만 사는 것보다는 더 여러 사람이랑 연결되어서 지내고 싶다, 그리고 그게 꼭 한 호실일 필요는 없고 바로 옆집, 윗집, 아랫집에 관계망을 크게 갖고 싶다는 욕구가 있었어요. 1인 가구든 동성커플이든 아니면 사회적 가족이든 사회에서 자신들을 감추면서 흩어져 살아야 하는 그런 분들이 있잖아요. 그러다 보니까 흩어져 살지 말고, 우리가 왜 꼭 흩어져서 숨어 살아야 하냐, 모여서 드러내면서 살고, 연결되면서 관계자원도 갖고, 지역사회 내에서도 사실 다양하게 정상가족과도 연결되어 지내지 못할 이유가 없는데, 라는 생각으로 모여 살아보자는 생각을 했었죠. (주거공동체 내 1인 가구 J)

관계에 대한 나름의 지향점을 가지고 자신이 원하는 가치를 추구하고자 하는 다양한 실천들은 누구나 함께 공의존하는 사회를 만드는 토대가 된다. "아무리 보잘것없는 사람이라 하더라도 이 친밀성 영역이 잘 구축되어 있으면 존재감의 고양을 경험할 수 있고 삶의 기쁨을 느낄 수 있다. 이런 점에서 사회적 영역에서의 성과만큼이나 친밀성 영역에서의 사랑과 우정은 사람이 존재감을 느끼게 하는 데 필수적이다"[5]라는 엄기호의 말처럼, 다양한 '결'이 가능한 사회는 우리의 삶에 매우 큰 영향을 미친다. 서로를 돌보는 것은 사실은 매우 정치적인 행위이며, 그런 점에서 서로가 상호의존하고 있다는 자각은 사회변화의 출발점이 될 수 있다.

'가족 너머'를 상상한다는 것

기존 관계와 다른 가치란 구체적으로 어떤 가치일까? 기존 가족질서와 불화의 내용이 있다면 무엇이며, 그러한 불화를 대하는 태도는 어떻게 기존의 '가족 너머'를 상상하는 것으로 확장될 수 있을까? '가족 너머'에 대한 상상은 규범과 불화하며 자기로서 살아낸 '낯설고' '퀴어한' 가치들을 봉합하지 않고, 규범과 불화하는 트러블을 가시화하는 것과 만난다. 김은정은 구체적인 생명을 돌보고 함께 공존하기 위해서는 타자를 내가 이해 가능한 범주로 만들지 않아야 한다고 강조했다.[6] 이는 동질화된 삶을 강제하지 않고 불화와 차이를 드러내는 새로운 시민모델을 만들어가는 것이기도 하다. '트러블과 함께하기'와 '트러블을 드러내는' 과정은 이성애규범적인 가족중심 시민모델을 바꾸는 데 핵심적이며, 또한 새로운 관계의 윤리가 출현하는 조건이다.[7]

C가 들려준 이야기에는 성소수자가 기존의 가족제도 안으로 포섭되는 것이 그간 없는 길을 만들어내며 살아낸 퀴어들의 '존엄'을 삭제하는 일일 수도 있다는 불안이 담겨 있었다. 그러나 이러한 불안은 부정적인 것이라기보다 '나'로서 살아낸 삶의 정동을 외면하지 않으려는 의지와 관련된 것처럼 보인다.

근데 저는 …… 성소수자커플을 [법적 가족으로] 등록한다고 했을 때, 진짜 베네핏[이점]이 확실해야 등록할 것 같아요. 왜냐하면 기본적으로 이 관[정부]에 대한 불신이 있는 거예요. 그리고 관의 눈을 피해 살고 있다는 것이 주는 모욕감도 있지만 [한편으로는] 쾌감도 사실 있기 때문에. '우리가 왜 얘기해야 해?' 그런 거라든지. 이건 굉장히 오래 축적된 낙인과 그로부터의 생활 방식일 텐데. 그래서 뭔가, 내 삶이 좀 더 존엄해질 수 있으면 좋겠다, 라는 [지점에서] 체감되는 정도의 베네핏이 있지 않고서는 잘 안 할 것 같아요. 보면 게이커플도 그렇고 레즈비언커플도 그렇고 지역에 내려가서 사는 사람도 있고. …… 그게 내몰려서 숨은 것일 수도 있지만 정말 본인이 떠나서 그렇게 하는 그게 나름대로 본인들에게 좋은, 바람직하진 않더라도 그런[그걸 좋아하고 만족하는] 현상이 있는 것도 사실이기 때문에, 뭔가 이 사람들을 좀 명예롭게 대접할 수 있는 제도가 있었으면 좋겠어요. 굉장히 중요한 역할을 한 사람들이고, 어떻게 보면 이성애자들이 가지지 못한 사회를 창출해낸 사람들이고, 그런 느낌이 있거든요. 이성애커플중심의 제도와 우리가 안 맞는다는 느낌을 계속 받고 있는 거고. 뭔지는 잘 모르겠는데, 저희가 만들어내고 있는 삶 속에서 발견되는 거겠죠. …… 기존의 가족제도나 정책들이 이성애중심적인 건 너무 뻔한 거기 때문에 그 문법으로 뭔가를 설명하기가 굉장히 어려운 거예요. (게이커플 동거 가구 C)

박탈된 권리를 되찾는다는 것의 의미에는 권리가 부재했음에도 삶의 지향을 포기하지 않고 살아낸 존재들을 존중하는 사회를 만든다는 것 또한 포함될 것이다. C가 말한 "명예롭게 대접할 수 있는 제도"는 그런 사회에 대한 바람이 아닐까. 가족구성권을 이야기하며 퀴어들의 생활 방식에 주목할 수밖에 없는 것도 그들이 차별과 낙인 속에서도 가족이 무엇인지, 무엇이 가치 있는 삶인지, 정말 모두가 동일한 생애주기를 따르는 삶을 살아가야 하는지에 대해 누구보다 먼저 삶으로 부딪히며 그 답을 찾고자 했기 때문이다.

> [가족의 의미에 대해서] 저는 사실은 잘 모르겠고…… 뭔가 느끼
> 는 건 있는데 그걸 섣불리 언어로 꺼내고 싶지 않다는 느낌
> 이 되게 강해요. 그걸 규정하는 순간 뭔가 뛰어넘거나 그 안
> 에 가지고 있는 어떤 힘들이 이미 없어지거나 이런 것 같아
> 서. 그걸 명명해서 얘기하는 것보다는 알게 모르게 말없이
> 누리고 싶은 게 좀 있는 것 같고. 그럼에도 얘기할 수 있는
> 건, 그런 자부심은 있어요. 우리가 제도적으로 가족은 아니
> 지만, 가족이 가질 법한 정서적 유대감이나 안정감, 이런 것
> 들은 내가 의식하지 못하는 부분에서 느끼는 게 되게 많거
> 든요. 그게 무서운 거죠. 의식적으로 이 사람이 좋아, 이런 게
> 아니고 무의식적으로 기대고 있는 부분이 굉장히 많다는 걸
> 느껴요. 그럴 때 그게 가족일 수 있지 않을까, 라는 생각이 들
> 긴 해요. (게이커플 동거 가구 C)

가족을 정의하고자 할 때 느끼는 미끄러지는 듯한 기분
은 어쩌면 기존의 가족을 둘러싼 가치들로 언어화하지 않고
자 하는 '의지'일지 모른다. 또한 '그 강렬한' 친밀성의 세계를
섣불리 정의하고 싶지 않은 마음으로도 볼 수 있을 것이다.
김경태는 퀴어정치의 핵심을 "평범하고 관습적인 관계로 수
렴되고 안주해버리는 것에 대한 거부"라고 이야기한 바 있다.
"진보해야 하는 것은 동성애자의 권리가 아니라 타자들과 연
결되는 방식, 즉 정동이다"라는 그의 말은 정확하다.[8] 기존의

규범적인 친밀성과 불화하며 '나'로서 살고, '나'로서 연결되고자 하는 실천은 나의 의지만으로는 쉽지 않다. 제도는 계속해서 기존의 정상성을 공고히 하는 실천들만을 강요하며, 이는 어떠한 관계를 설명할 때 그 관계가 '정상가족'의 그것만큼이나 '정말 깊은 관계'라는 사실을 증명해내야 한다는 압박으로도 이어진다.

> 요즘 드는 생각은, 왜 퀴어 가족이나 사회적 가족들이 어떤 이런 정책사업이나 혹은 이슈 메이킹을 하고자 할 때 …… 우리는 정말 평생 같이 살 엄청 끈끈한 관계야, 진짜 가족이야, 이거를 되게 엄청 열심히 주장해야 [정부지원이나 사회적 관심을] 받을 수 있을 것 같고, [그래서 관계의 진정성을] 증명해야 될 것 같은 압박을 저도 모르게 느끼더라고요. 사실 그게 아닌 게 …… 이성애자도 마찬가지잖아요. 이혼했다가, 별거했다가, 재혼했다가, 아이랑 살았다가, 친구랑 살았다가. 어떤 가족구성을 하고 싶다는 건 그때그때 달라지고, 욕구도 달라질 수 있고, 상황도 달라질 수 있잖아요. 그런데 왜 꼭 이성애관계가 아닌 사람들은 그걸 증명해야만 [권리를] 얻어낼 수 있지? 라는 그런, 시간이 지나니까 피로감이 생기더라고요. 예전에는 그걸 증명하는 게 즐거웠는데 요즘은 피로해서. 나는 어느 시기는 친구랑 살고 싶고, 어느 시기에는 파트너랑 살고 싶고, 어느 시기에는 원가족이랑 살고 싶을 수도 있는 거지. 그러한 내 시기 시기의 욕구들을 다 실현할 수 있는 사회 시스템이 되어 있어야지, 라는 생각이 들더라고요, 요즘

엔. (주거공동체 내 1인 가구 J)

소위 정상가족 외곽의 존재들에게 앞으로 어떻게 살 것인지, 서로 정말 헌신하는 관계인지, 헤어지지 않을 것인지에 대한 '증명'을 요청하는 것은 배제를 넘어서 '가족은 이러한 의미다'라는 것을 공고히 하는 효과적인 장치로도 작동한다. 하지만 저마다 삶의 가치와 가족의 의미가 동일하지 않은 것과 마찬가지로, 한평생 일관된 관계를 유지하는 사람도 없을 것이다. 삶의 시기마다 경험하는 관계도, 관계에 대한 욕구도 달라지며, 어떠한 관계나 욕구가 '정상적'이라고 규정할 수도 없다.

그냥 이 존재가 이렇게 살아가는 것만으로도 그냥 운동이잖아요, 상상력을 더해준다는 면에서. 그래서 [이러한 삶의 양식을 드러내는 게] 그냥 상상하지 못했거나 숨어 있었던 많은 관계망이나 존재나 욕구들이 수면 위로 드러날 수 있게끔 하는 시도였으면 좋겠다는 거죠. 그리고 저도 그 시도들, 앞선 세대의 시도들을 보면서 상상을 구체화할 수 있었던 거기도 하고. (주거공동체 내 1인 가구 J)

우연하고 다양한 상호의존의 계기들

이성애규범적인 가족중심 생애서사에서는 학업, 취업,

독립, 연애, 결혼, 출산이 차례로 이어지며 각각의 단계가 삶을 구성하는 주요한 조건으로 이야기되지만, 실제 삶은 그런 일직선의 경로를 따르지도 않고 여러 우연한 만남과 계기를 통해서 병렬적인 관계가 만들어지기도 한다. 많은 사람은 경제적인 이유로, 외로워서, 임차 계약 기간이 끝나는 시기가 비슷해서, 혹은 사랑하는 사이라서 등등 여러 이유들로 '우연히' 함께 만나 살아가고, 그러한 경험을 통해 '이렇게 살아도 괜찮다'는 사실을 확인한다.

> [친구와] 같이 살게 된 계기는 저희 둘 다 고향은 서울이고, 대학 졸업하고 막 사회에 진입하는 시기에 이 친구는 먼저 집을 나와서 살고 있었어요. 가족의 지원을 받아서 나온 건 아니고, 그냥 먼저 집에서 나오고 싶어서 나와서 살고 있어서, 친구니까 [그 집에] 놀러 가보고 했는데 좋은 집은 당연히 아니었고요. [그러던 중에] 제가 살던 집에서 1년 살고 계약 끝나고, 좀 더 집 같은 데로 이사할까, 하는데 [그 친구에게] 너 생각 있으면 같이 살지 않겠냐고 물어봤어요. 되게 그냥 금방 좋다고 하고 같이 살게 됐어요. (친구관계 2인 가구 B)

가족 지원이 없는 독립, 열악한 주거환경, 집 같은 집에 대한 욕망이 뒤얽힌 상황에서 '같이 살까?'라는 친구의 말은 원가족을 떠나서 살아간다는 새로운 삶의 가능성을 시도하는 데 큰 힘이 된다. 이처럼 우연한 결속의 계기는 친구 세 명이 함께 살고 있는 E의 이야기에서도 비슷하게 드러난다.

저는 대학 오면서 원가족이랑은 따로 살게 됐고. 제가 고향이 지방이어서 대학 기숙사에 살다가, 이모 댁에 잠시 살다가, 원룸에서 혼자 살게 됐어요. 2년 동안 원룸에서 혼자 생활했고, 같은 대로변에 그 친구가 살고 있었어요, A 친구가. 그 친구랑 저랑 따로 원룸에 살다가, 계약 기간이 똑같았거든요. 왜냐하면 학교 근처니까 학교 신학기에 맞춰서 계약한. 2월에 만료되면서 같이 나왔어요. …… 셋 다 별로 결혼에 대한 생각이 없고. 다들 별로 장기적인 계획이랄 게 없거든요. 불안하지는 않은데, 만약에 두 명이서만 살았으면 불안했을 수도 있을 것 같아요. 왜냐하면 [셋에서 사는 건] 한 명이 빠져도 그냥 살아지는 건데, 지금은 뭐 유학을 하나 간다고 해도 어쨌든 공동생활이라는 것은 아직 있으니까. 그래서 그런지 아무튼 막 불안하지는 않아요. …… 아, 지금 되게 저는 너무 운이 좋았던 것 같아요. 그래서 다시는 1인 가구로 돌아가고 싶지 않다, 이 생각을 계속하고 살아요. (친구관계 3인 가구 E)

불안함은 어디에서 오는가? 이들의 불안함은 이성애 결혼/가족 안에 속하지 않는다는 데 기인하는 것이 아니라 자신의 삶에서 중요하게 여겨지는 관계를 계속 이어갈 수 있을지 알 수 없다는 데서 기인한다. 그러나 사람들은 이 불안함에 압도되거나 좌절하기보다 불안해서 연결되고 불안해서 새로운 생활세계를 구축하며 사회변화를 상상한다. 그러한 과정에서 맞닥뜨리는 우연한 계기들을 통해서 다시금 '나'를 발견하며 새로운 상호의존의 관계망을 만들어내는 것이다.

저는 그냥 아주 어렸을 때부터 나는 결혼하지 않을 거고 그 렇지만 혼자 살진 않을 거란 걸, 스스로를 알고 있었어요. 그 래서 늘 유심히 봤어요. 무지개집*도 유심히 보고, 비비**도 유심히 보고 하면서 '그래, 이렇게 구체화할 수 있어!'라고 생 각을 했었고, 제 주변에 그런 친구들이 많다는 것도 알고 있 었어요. …… 자신의 욕구를 구체화해나가는 상상들을 하고 시도를 해나가는 다양한 1인 혹은 사회적 가구들이 민간주 택에 쭉 흩어져 있잖아요. 그리고 요즘은 또 특히 많이 가시 화되고. 왜냐하면 당사자들이 스스로 엄청나게 움직이고 계 시기 때문에. (주거공동체 내 1인 가구 J)

비혼은 정태적인 시간을 살아가겠다는 것이 아니다. 결 혼이 아니더라도 사람들은 주변을 살피고, 관계를 맺고, 유사 한 공감대를 나누는 친구들을 만나면서 욕망의 지도를 그려

---

* 서울시 마포구에서 성소수자들이 협동조합 방식으로 집을 짓고 모여서 살 아가는 주거공동체. 치솟는 주거비용과 사회적 불안 등에서 서로가 서로의 터전이 되어주며 연대와 공존의 가치를 지켜가고자 하는 공간이다.
** 전라북도 전주시의 비혼여성공동체. 2003년 지역의 여성단체 내 비혼여 성 소모임 형태로 시작되어 이후 생활공동체를 지향하고 있다. 모두가 한 아파트의 이웃으로 지내며 돌봄과 공부를 함께한다. 2019년 《여성신문》 과의 인터뷰에서 비비 구성원 중 한 사람은 "지속의 힘은 친밀감을 유지하 는 것"이라며, "어느덧 다들 40대 후반 50대 초반이 됐다"는 말과 함께 "여 성노인공동체로서 좋은 모델이 되고 싶다"는 소망을 표현했다. 진주원, 〈"돌 봄·공부 함께하며 지켜봐주는 공동체예요"〉, 《여성신문》, 2019.3.14.

나간다. 30대부터 60대까지 다양한 세대가 공존하는 주거공동체를 만든 K는 그 이유에 대해 노모에게 급박한 상황이 생겼을 때 도움을 요청할 수 있는 관계가 절실했기 때문이라고 말했다. 그는 해당 주거공동체가 현재 20명이 넘는 거주인들의 단톡방을 중심으로 다양한 질문과 도움을 주고받는 사회적 가족을 이루고 있다고 설명하며, 새로운 관계 맺음의 필요성을 다음과 같이 이야기했다.

> 기존 핵가족 체제로 엄청나게 늘어난 수명의 노년기를 절대 버틸 수가 없는 거죠. …… 지금 우리 사회가 정말 잘못된 인식을 갖고 있는 게, 남한테 폐 끼치는 게 엄청나게 삶을 잘못 사는 것처럼 인식을 하는데, [인간은] 이미 불완전한 존재고, 서로가 서로를 필요로 하고, 그 상호호혜적인 삶을 살아가는 게 중요한데 …… 관계나 이런 공동체를 이야기할 틈이 하나도 없어요. (주택협동조합형 주거공동체 내 3인 가구 K)

가족변동성이 증가하며 개인은 생애주기에서 여러 다른 가족형태로 이동하는 삶을 살고 있고, 그러한 이행의 과정에서 위험에 직면할 가능성 또한 높아지고 있다.[9] 그리고 이는 상호의존의 또 다른 계기가 되기도 한다. 가족주의를 넘어선 공생적인 삶의 가치를 위해서는 우리 모두가 삶의 어느 시점에서는 일정 기간 돌봄에 의존할 수밖에 없다는, 우리 모두가 "잠재적으로 의존인"[10]이라는 데 주목해야 한다.

상호돌봄의 세계는
한집 안에만 존재하지 않는다

'함께 살아간다'는 것은 단순히 한 공간에 거주하는 것 뿐만 아니라 한 지역, 또는 가까운 곳에 상호돌봄이 가능한 누군가가 있는 심리적인 상태까지도 포함한다. 매일 보거나 한 공간에 머물지 않더라도 상호돌봄의 존재가 가까이 있다는 것은 느슨한 연대감과 삶의 안정감을 느끼게 한다. 특히 사회적 소수자에게는 이러한 감각의 의미가 더욱 크다. 성소수자 주거권 연구에 따르면, 주거지 선택에서 성소수자공동체 존재 여부는 주거비 다음으로 많은 영향을 주는 것으로 나타났다. 특히 시스젠더 여성과 논바이너리/젠더퀴어의 경우 49.2%로 가장 높게 나타났으며, 뒤를 이어 시스젠더 남성 31.9%, 트랜스젠더 25.6%로 성소수자공동체의 존재가 주거지 선택에 적지 않은 영향을 미친다는 사실을 보여준다. 현재 거주하고 있는 지역에는 평균 2.42명의 성소수자 지인이 있는 것으로 나타났는데,[11] 이 또한 일상적으로 감각할 수 있는 물리적 공존의 연대가 중요하다는 것을 보여준다. H는 일상적으로 상호돌봄을 주고받는 관계의 의미에 대해 다음과 같이 말했다.

원가족은 1년에 몇 번 만나죠, 두 번 보나? 좋지도 싫지도 않은, 가족이니까 만나는 거고. 이 친구는 거의 스물네 시간 일상생활 내내 만나니까 훨씬 더 많이 나누고, 세세한 걸 다 알고, 현황 파악을 다 하고 있죠. 지금의 고민과 지금의 좋은 점과 뭐 이런 것들을 다 알고 있고 그렇죠. …… 여기가 지금 원가족만큼 원가족이죠. (친구관계 2인 가구 H)

한편, 여성들에게 일상적 상호돌봄관계는 안전을 느끼는 중요한 토대가 되기도 한다. '함께 산다'는 것은 서로를 보호하는 것이기도 하며, 이는 CCTV로 치안을 강화하는 식의 방법으로 지키는 안전과는 다른 감각을 만들어낸다.

한번은 [같이 사는 친구들] 둘 다 외박을 나가고 저 혼자 있을 때, 어떤 취객이 저희 집에 와서 문을 두드리면서 쌍욕을 했어요. …… 그때 너무 무서워가지고 제가 약간 패닉상태가 된 거예요. 경찰을 불렀고, 경찰이 와서 잡아가는데 경찰도 막 엄청 일 처리 대충하고 그랬는데. 제가 그때는 너무 경황이 없어서 약간 넋이 나간 상태로 있었는데. 왜냐하면 [취객이] 문이 부서질 듯이 두드렸는데 저희는 걸쇠도 없고, 뭐도 없거든요. 사실 되게 방범이 잘돼 있는 집이 아니고 오래된 낡은 다세대주택이고 이러다 보니까. 그래서 너무 정서적으로 충격을 많이 받은 상태였는데, 그때 다른 데 있던 친구[동거인]가 바로 택시 타고 와줬거든요. 그날 같이 경찰 대응하고, 같이 잤어요, 집에서. …… 택배를 받아도 혼자 살 때는 저는 정말 뭘 잘 안 시켰거든요. 배달 음식은 하나도 안 시켜 먹었어요. 그런데 지금은 그런 거에 있어서 긴장이 좀 덜해요. (친구관계 3인 가구 E)

가부장제 가족제도로부터 벗어나 자율적인 삶을 살고자 하는 욕구와 고립되지 않고자 하는 욕구가 어우러지며 느슨한 연결의 장을 만들어내기도 한다. 딱히 혼자도 함께하는 것도 아닌 상태, '서로 의지할 누군가가 가까운 곳에 있다'의 상태로 살고자 하는 지향도 얼마든지 가능한 것이다.

너무 가까이 살면 싫을 것 같고 그냥 걸어서 5분, 10분 정도에 살면서 같이 밥해 먹고 어디 놀러 가거나 산책하거나 밤에 술 같이 마시고, 하루 일상 공유하고, 누가 아프다 그러면 돌보고, 그런 관계를 지향한······ (주거공동체 내 1인 가구 J)

한편, 친구와 20여 년을 생활돌봄관계를 유지하며 살아온 H는 생활돌봄이 경제적인 상호돌봄으로까지 확대될 수 있다는 이야기를 들려주었다.

저희가 지금, 98년부터니까 몇 년을 살았죠, 21년? 그것밖에 안됐나. 하여튼 20년 넘게 별 탈 없이 사는 것은 경제문제에 서로 그렇게 민감하게 굴지 않아요. 그러니까 서로 입에 들어가는 건 아까워하지 않고 돈 쓰는 것에 대해서 아까워하지 않는 관계가 형성되어 있기 때문에 ······ 영화 보거나 밥 먹거나, 그것도 이렇게 한 사람 내면 한 사람 내야지 정해놓은 게 아니라 기분 따라서도 하고 되게 자연스럽게 그냥 조율되는 게 같이 사는 것에 굉장히 장점이고, 잘 살 수 있었던 방법이었고. 뭐가 떨어지잖아요, 집 안에. 뭘 사야 돼요. 자질구레한

거 많잖아요. 퐁퐁도 그렇고 샴푸도 그렇고 빵도 그렇고 일상 용품도 그렇고. 큰 거, 책상도 그렇고 이사비용도 그렇고 그런 것들이 다 원활하게 조율이 돼요. 누가 얼마를 썼는지 확인도 안 할뿐더러 신경도 쓰지 않아요. (친구관계 2인 가구 H)

10대에 원가족을 떠난 I는 쉼터에서의 규율에 적응하기 힘들어서 노숙생활을 하기도 했다며, 청소년자립팸 이상한나라를 만나 '잘' 머물 수 있는 곳의 중요성을, 네트워크의 힘을 깨달았다고 말했다. 현재 동성파트너와 함께 살며 탈가정한 친구들에게 수시로 거처를 내주는 그는 "받아본 사람이 줄 수 있다"고 말한다.

보통 거리까지 나온 청소년들은 [누군가와] 연대하거나 [누군가의] 지지를 받는 경우가 별로 없어요. 아예 없기도 하고. ······ 네트워크 안에 들어가면 어쨌든 [네트워크 안의] 그이들은 다 저를 이해하고 저를 응원하는 사람들이잖아요. 사실 그 안에서 뭔가 받아본 사람이 줄 수도 있잖아요. ······ 저는 부모님과는 너무 많은 시간을 떨어져 살았고, 부모님보다도 가까운 게 그 네트워크 안에 있는 사람들인 거예요. 저나 제 주거나 어떤 것에 대한 이슈가 있을 때 제일 먼저 고민 나누고······ 그 고민 안에서 해결하려고 노력하는 그런 액션을 취하는 건 사실 이 동네 네트워크 안에서이기 때문에 [그 네트워크가] 많은 의미와 힘을 주죠, 에너지들을. (동성커플 동거 가구 I)

상호돌봄의 세계는 이미 혈연관계를 넘어 확장되고 있고, 더 확장되어야 한다.

신뢰만 있는 관계들

법적 가족이 아닌 관계에 대한 제도적 인정을 이야기할 때 가장 흔히 나타나는 반응 중 하나는 '가족이 아닌데 어떻게 믿어? 무슨 꿍꿍이가 있는 거 아니야?'라는 것이다. 이러한 반응은 시민들 사이의 연결이 결혼·혈연이라는 지극히 협소한 방식으로만 가능한 사회에서 시민 간 유대가 어떻게 사라지는지, 폐쇄적인 결혼·혈연중심의 가족주의에 기반한 사회가 얼마나 취약한 사회적 신뢰의 토대를 가지고 있는지를 단적으로 드러낸다고 볼 수밖에 없다. 같이 살고자 하는 의지를 '꺾는' 제도 속에서 살다 보니 사람들은 새로운 관계의 문법을 만들어내고 실천하는 이들에게 반문한다. 왜 같이 사는지, 법적으로 보호받지 못하는데 무얼 믿을 수 있는지, 그런데도 왜 '굳이' 가족을 구성하고자 하는지를 말이다. 이러한 사회적 분위기는 이성애 '정상가족'에 대한 낭만화 이면에 존재하는 폭력과 억압과 위계를 은폐하는 데 일조한다. 법적 가족 외곽의 관계는 정상가족 이데올로기 속에서 '신뢰할 수 없는 관계'로 여겨지고, 이는 다시 법적인 자격과 지위의 부여를 지연하는 악순환으로 이어지고 있다.

그러나 법적 가족 외곽의 관계들은 정말 '신뢰할 수 없는 관계'일까? 사회적인 지원과 안전망이 없는 상황에도 불구하고 지속되는 관계는 역설적으로 '신뢰만 있는 관계'가 아닐까? C의 이야기를 들어보자.

> [게이커플] 워낙에 빨리 깨지고 한다고는 하지만, 사실 오래 사귀고 안정적인 관계를 가지는 사람이 많은데. 그 사람들은 그런 관계 관련한 제도적 보장이 하나도 없는 상황에서도 관계의 내용만 가지고도 긴 동거생활이나 연애생활을 버틸 수 있게 됐다, 라는 증거 같은 것이기 때문에…… (게이커플 동거 가구 C)

"관계 관련한 제도적 보장이 하나도 없는 상황에서도" "긴 동거생활이나 연애생활을" 이어나가는 게 역설적으로 이 관계가 얼마나 단단한 신뢰를 바탕으로 하는지에 대한 '증거'가 된다는 그의 이야기는 흔히 '문란'하고 '가볍다'고 여겨지는 퀴어커플에 대한 편견에 정면으로 반박하는 것이면서도, 관계가 지닌 신뢰의 힘을 강조하고 있다. 애당초 다양한 관계에 대한 제도화의 기준을 어떤 관계가 신뢰를 바탕으로 하는지 아닌지에 대한 가치판단에 둔다는 것부터가 어불성설이긴 하지만 말이다. 친구와 둘이서 살고 있는 B는 신혼부부 대출 상품과 같은 혜택을 받을 수 없어 결과적으로 한 사람이 다른 한 사람에게 경제적으로 의존하게 되는 상황에 대해 언급하며, 주거안정 또한 전적으로 서로에 대한 신뢰에 기반하게 된다는 사실을 강조했다.

[저희가] 할 수 있는 방법이라고는 개인이 개인 명의로 대출을 받아서 전세로 간다, 뭐 이런 건데. 이랬을 때는 정말 서로에 대한 신뢰밖에는 기댈 곳이 없는 거잖아요. 누구의 이름으로만 대출을 받는다는 건······ (친구관계 2인 가구 B)

주거뿐만 아니라 상속, 세금, 연금 등 거의 모든 영역에서 법 밖의 가족은 차별을 경험한다. '신뢰할 수 있는' 관계냐는 질문을 받는 관계의 유일한 기반은 역설적이게도 서로에 대한 신뢰와 유언뿐이다.

······ 제가 가진 볼펜 한 자루라도 제가 먼저 가게 되면 전부 이 사람한테 주고 싶거든요. 정말 하나도 빠짐없이. 그러려면 공증 같은 거를 받아놔야 한다고 하더라고요. 아직 공증을 받거나 이런 건 안 해봤는데. 제가 우리 관계를 아는 사람들한테는 뭔가 기회가 있으면 그런 얘기는 해요. 혹여나 내가 만약에 갑자기 사고를 당하거나 죽기라도 하면 우리 부모님이나 우리 집 식구들한테 얘기 좀 해주라고. 손대지 마시라고, 전부 이 사람 것이니까. 저는 휴대폰에도 '만약을 대비한 편지' 이렇게 적어놨어요. 사고 나면 전부 이 사람 것이니까 건들지 말라고. (이성커플 동거 가구 M)*

---

* 40대 이성커플로, 인터뷰 당시 동거 햇수는 약 13년이었다.

5장

'연결의 의지'를
권리의 토대로

가족구성권에 대한 강의를 하며 동거하는 이성커플이 겪는 차별을 이야기할 때 종종 듣는 질문은 '결혼을 하면 되는데 왜 동거를 할까요?'라는 것이다. 이 말은 '굳이 왜 어렵게 살까?'라는 의미일 텐데, 이성커플과 가족과 결혼이 결코 분리될 수 없을 만큼 너무나 딱 달라붙어 있는 사회에서는 아마 자연스러운 생각이기도 할 것이다. 조금 더 깊이 들여다보면 그 질문에는 이러한 날것의 목소리도 담겨 있는 듯하다. '결혼할 정도로 책임감을 갖고 있지도 않으면서 권리만 주장하는 무임승차자들의 이야기에 왜 귀를 기울여야 하지?' '누구는 결혼해서 아이도 낳고 고생하며 열심히 살고 있는데, 자기 한 몸 편하겠다고 비혼으로 살고 동성애자로 살겠다는 사람들 아닌가? 그러면서 무슨 차별이고, 어려움이 있다는 거야?' 사회의 정동은 여기에 멈춰 있는 것만 같다.

서로의 권리를 경쟁하고, 서로의 삶을 분리하는 데 익숙한 사회 한가운데에는 이성애규범적인 가족중심 시민모델이 강력한 축으로 자리한다. 가족구성권운동은 사회불평등 해소를 위한 저항의 토대로서 가족을 사유하며 '취약함'을 특정한 개인, 특정한 가족의 문제로 전가하는 사회를 변화시키고자 하는 운동이다. 따라서 부양의무제 폐지를 주장해온 장애운동이나 빈곤운동, 여성이 자립 가능한 사회를 만들고자 하는 한부모/여성운동, 혈연가족을 떠나 자신으로 살기 위해 분투하는 청소년/한부모의 권리운동, 성별이분법을 공고히 하는 가족제도에 저항하는 성소수자/퀴어운동, 국경을 넘어 정주할 권리를 모색하는 이주노동자들의 저항 등 여러 소수자들과 연대하며 '뒤처진 삶과 관계'로 간주되어온 것들에서 사회를 재구성해야 한다고 지속적으로 주장하고 있다.

　　가족을 저항의 언어로 삼는 것은 서로에게 의지하고 연대하는 사람들, 또한 뜨겁게 사랑하고 응원하는 사람들의 다양한 관계를 낙인의 대상이 아니라 차이를 가진 존재로서 있는 그대로 사회에 기입하는 과정이다. 마지막 장에서는 퀴어가족정치의 장으로서 가족구성권을 정리하며, 가족구성권을 둘러싼 논의가 나아갈 방향을 제안하고자 한다.

가족다양성이 아닌
가족구성권으로

　　지금까지 가족을 저항의 언어로 사유해온 과정은 가족제도 안과 밖에서 주변화된 존재들의 자리를 만드는 과정이기도 했다. 역사 속에서 성별이분법을 질문하는 퀴어뿐만 아니라 장애여성, 비혼여성, 이혼한 여성들은 이성애 가부장제 너머의 삶을 추동해왔으며, 그 흐름은 앞에서 살펴보았듯 2000년대 들어 본격적으로 전개된 호주제 폐지운동과 연결된다. 2005년 2월 3일, 호주제에 대한 헌법재판소의 위헌 결정이 내려지기까지 호주제 폐지운동은 오랜시간 매우 활발하게 전개되었으며, 가부장제 너머의 성평등은 물론 인권의 관점으로 가족제도를 고찰하는 저항과도 긴밀하게 연결되어 있었다.

　　2000년대 이후 급속히 전개된 '소수자' 관점의 페미니즘 흐름 속에서 차이를 가진 삶들이 사회적으로 가시화되었고, 이는 가족이 저항의 언어로, 정치학의 영역으로 출현하는 중요한 전환점으로도 작용했다.[1] 그러한 흐름 속에서 2006년 가족구성권연구모임(현 가족구성권연구소)이 만들어졌고, 창립과 함께 많은 퀴어활동가, 페미니즘 연구자, 변호사 들이 결합했다. 이는 가족구성권이라는 의제가 단순히 가족제도에서 배제되고 차별받는 성소수자, 동거관계를 법적으로 인정하는 의미의 '가족다양성'을 추구하는 것이 아니라, 이성애규범적인 가족중심 시민모델 자체를 해체해야 한다는 주장을 내세웠기 때문이다.

2000년대에 가시화된 가족다양성이라는 개념은 이혼율과 비혼의 증가 등을 '가족해체의 주범'으로 몰아가는 사회적 분위기에 저항하면서 기존 가족제도에 대항하는 의미를 가졌었다. 그러나 호주제 폐지 이후 도입된 「건강가정기본법」이나 「민법」의 가족 범위에 대한 규정이 '가족'의 범위를 결혼제도 안으로 국한하며 개인의 자율성보다 가족신분 안에서의 개인을 당연시하는 가족규범을 강화하자 가족다양성의 논의는 가족제도에 대한 근본적인 차원의 문제 제기 없이, 재혼가정의 자녀들이 아버지와 성이 달라 어려움을 겪는다는 식의 차원으로 그 폭이 매우 협소해졌다. 무엇보다 호주제 폐지 이후 이를 대체하는 법안이 또다시 가족을 중심으로 하는 「가족관계등록법」이었다는 점은 개인의 생애가 결코 가족과 떨어져서 상상될 수 없는 한계를 단적으로 보여준다. 이러한 사회에서 개인의 삶은 계속해서 가족에 종속된 채로만 상상되고, '그런 가족'이 부재한 개인들은 차별에 놓일 수밖에 없다.[2]

퀴어가족정치의 장으로서 가족구성권은 기존 가족제도 밖에 존재하는 관계들에 대한 제도적 인정은 물론, 그러한 인정의 문제를 넘어 근본적으로 기존 가족제도의 안과 밖을 구분하는 경계를 질문한다. 즉, 그 경계를 공고히 하는 가부장제, 이성애중심주의, 정상신체주의, 인종주의, 성적권리의 부재 등에 주목한다. 퀴어가족정치는 '퀴어' 또는 '가족'이라는 정체성 중심이 아니라, 주변화된 존재들의 삶과 이들이 겪는 가족규범과의 불화를 드러내며 그러한 트러블을 '문제'가 아닌 사회변혁의 핵심이자 동력으로 사유하는 인식론이다.

따라서 퀴어가족정치의 장으로서 가족구성권에 대한 논의는 제도적 가족주의를 해체하는 것과 밀접하게 연결된다. 시민들은 돌봄 공백이 모두의 문제로 논의되어야 한다고 절박하게 외치고 있다. 이러한 문제의식은 성정숙이 지적한 대로 지금까지 경제적·사회적 생존을 가족에게 떠맡겨온 한국사회의 가족주의를 질문하는 것으로 이어지며, 어떤 가족 안에서도 차별 없이 살아갈 수 있는 권리를 제기하는 문제로 나아간다.[3] 서로에게 '잘' 의존할 수 있는 공동체의 형성은 개인을 생존단위로 상상하며 다양한 시민적 유대를 보장하는 것이 기본 조건이다.[4]

김용희·한창근은 "개인의 사회적 지위 획득 과정이 다차원적 요인(직업, 학력, 지위, 가족배경 등)으로 결정되던 과거와는 달리 부모배경의 결과로 할당받게 되는 귀속지위[Ascribed status]가 개인의 노력에 의한 후천적 결과인 성취지위[Achieved status]의 우위를 선점하여 한국사회는 개방사회를 위장한 과거 신분제의 폐쇄사회 구조와 가까워지고 있다"라고 분석한 바 있다.[5] '흙수저' '금수저'라는 말이 통용될 정도로 현대의 계급문제가 고착되어 있고 이로 인한 불평등과 경제적 불안정성은 사회 적 소수자들의 삶을 관통한다. 이에 따라 가부장제를 벗어나 기 위한 하나의 생존전략으로 한편에서는 재테크가 등장하기 에 이른다. 싱두는 정상가족 이데올로기를 해체하고자 하는 비혼운동을 이야기하면서 일부의 비혼운동이 경제적인 '능 력'을 통해 종속성을 탈피하고자 하는 지점이나, 재테크나 금 융자산 축적을 통해서 미래를 기획하고자 하는 '개인되기'의 방식이 신자유주의적인 능력주의에 복무하는 또 다른 방법일 수 있다고 지적한 바 있다.[6] 다양한 관계 속에서 삶을 만들어 내는 실천을 유보하고 경제적 능력을 확보하는 데만 몰두할 때 또 다른 고립이 만들어질 수 있다는 한계 또한 언급했다. 이러한 문제 제기는 저항이나 운동을 통해서 탄생하고자 하 는 개인이 어떤 개인이고자 하는지에 대한 근본적인 질문을 던진다. 이는 존엄한 권리로서의 자기결정권의 추구와 신자 유주의적이고 경쟁주의적인 자기결정능력의 추구라는 두 가 지 상반된 지향의 근본적인 차이를 환기하는 것이다.

김도현은 《장애학의 도전》에서 자기결정권을 "자기결정 을 내리는 여러 주체들이 상호의존적 관계 속에서 서로의 의 견과 판단을 소통하고 조율해가며 실현할 수밖에 없는 권리" 로 설명하며, 사회적인 삶의 조건이나 토대를 변형하면서 '함 께' 만들어갈 수 있는 것으로 의미화한다. 이처럼 관계적 존재 로서의 삶을 상상하는 자기결정권과 달리 경제적인 위치 혹은 능력을 가진 개인의 문제로 자기결정에 접근하는 자기결정능력은 경제적 성공 등 신자유주의적 생존전략으로 이어진다는 점에서 결정적인 한계를 지닌다.[7] 존엄한 삶은 사회적인 삶을 가능하게 하는 타자와의 관계 속에서 가능하며, 그러한 관계성은 상호의존적인 삶의 양식이나 시민 간 유대 속에서 탄생한다. 가족구성권을 능력의 유무를 경유하여 사유해서는 안 되는 이유다.

퀴어가족정치의 장으로서 가족구성권은 정상가족 규범과의 불화를 가시화하는 장일 수밖에 없다. 또한 새로운 주체와 삶의 양식이 출현할 수 있는 물적 토대가 가능한 사회를 만들어가는 데 필요한 여러 권리들이 연결되는 장일 수밖에 없다. 이러한 지점에서, 가족형태나 가족상황으로 인한 차별을 해소하고자 하는 가족구성권운동은 정상가족 이데올로기의 타파는 물론이고, 인간이 태어나서 죽는 순간까지 삶에 필수적인 요소인 주거, 노동, 의료, 연금 전반에 걸친 사회적 차별을 없애는 시민권운동인 것이다.

가족을 '가정생활' 밖으로 확장하기

퀴어가족정치에서 보이지 않는 관계, 중요하게 취급되지 않는 관계에 주목하는 이유는 그러한 관계가 불평등의 구조를 반영하기 때문이라고 말했다. 상호의존과 책임의 사회적 네트워크를 확장하기 위해서는 이 사회에서 상호의존의 대상으로 출현할 수 없는 존재와 관계들이 누구인지를 질문하는 것에서부터 출발해야 한다. 이주노동자의 자녀로 태어나 출생등록을 하지 못하는 미등록 신분의 아이들, 성별이분법적인 주민등록제도로 일상적인 차별을 감내해야 하는 트랜스젠더/퀴어들, 서로를 돌보며 함께 살지만 '가족'으로 인정되지 않는 동성커플들, 그 외에도 혈연중심, 결혼중심의 사회를 넘어서 서로의 곁을 내주며 살아가는 무수한 이름 없는 관계들까지 혈연가족 사회에서, 이성애 결혼중심 사회에서 포착하지 못하는 삶과 관계는 무수히 많다. 퀴어가족정치는 '시민'에 들어오지 않는 이러한 관계들이 수행하는 돌봄의 의미가 무엇인지를 포착해야 하며, 동등한 시민으로 인정되지 않는 이들이 수행하는 돌봄이 어떻게 '시민됨'의 조건을 해체하는지에 대한 여러 갈래의 논의를 이어가야 한다. 이를 위해서는, 시민의 삶을 구성하는 건강이나 질병, 주거 등 다양한 사회권의 확보를 요청하며 차이를 가진 삶의 위치성에 주목해야만 한다.

성소수자 인권 증진을 위한 청년활동가단체 다움에서 2021년 3,911명의 성소수자 청년을 대상으로 진행한 조사에 따르면, 성소수자 청년의 건강과 심리상태는 5점 만점에 평균 3.3점으로 나타났으며, 특히 트랜스젠더여성의 경우 평균 2.9점으로 나타나 심각한 상태임을 보여주고 있다.[8] 전체 응답자의 41.5%는 최근 1년간 자살을 생각한 적이 있다고 답했으며, 그중 8.2%가 실제 자살 시도로 옮겼다고 답해 매우 심각한 현실을 보여주었다. 이러한 조사 결과는 건강이나 질병이 단지 개인적인 영역에 국한된 것이 아니라 사회적 불평등이 체감되는 실체이며, 그 영향은 사회적 안전망이 부재한, 고립된 삶을 사는 시민들에게 더욱 크다는 사실을 드러낸다. 이는 사회적 안전망과 밀접하게 연결된 주거문제와도 무관하지 않아서, 성소수자들이 경험하는 삶의 불안정성은 주거문제에서도 확연하게 드러난다. 한국성적소수자문화인권센터에서 진행한 성적소수자 나이 듦에 관한 조사에 따르면, 주거문제는 '노후 준비 지원을 위해 가장 중요한 정책은 무엇이라고 생각하십니까'라는 질문에서 82.3%로 1위를 차지했고, 그 뒤를 이어 '소득'이 71.5%로 2위, '돌봄을 포함한 건강'이 57.1%로 3위로 나타났다. 같은 질문에 대한 대국민조사의 응답을 보면 그 차이가 확연히 보이는데, 대국민조사에서는 같은 질문에 대해 '돌봄을 포함한 건강'이 69.7%로 1위였으며, '소득'이 63.1%로 2위, '고용/일자리'가 47.6%로 3위를 차지했다. 30대만 놓고 두 조사를 비교해보면, 성소수자는 주거문제가 83.6%로 압도적으로 높은 비중을 보이고, 대국민조사에서는 비교적 낮은 61.5%로 나타나며 상당히 다른 삶의 조건을 마주하고 있음을 확인할 수 있다.[9]

한국사회에서 나이 듦에 따른 돌봄, 건강, 주거 등의 문제는 오롯이 시민들의 몫이고, 이는 대부분 '행복한 가정'으로 해결해야 하는 문제로 여겨진다. 적절한 몸 상태, 적절한 주거환경을 갖지 못하는 것은 '행복한 가정'을 갖지 못했기 때문으로, 가족중심 시민모델 사회에서 이러한 이들은 '비정상적인' 시민으로 간주된다. 퀴어가족정치의 핵심이 가족을 중심으로 한 시민의 위계를 해체하는 데 있다는 것은 결국 다양하게 생존하는, 자기로서 생존할 수 있는 방법을 함께 모색해가자는 것이며, 그러기 위해서는 그 안에 존재하는 여러 갈래의 관계성에 대한 제도적 요구를 드러내야 한다.

관계성에 대한 제도적 요구는 결코 단일하지 않다. 한국성적소수자문화인권센터에서 진행한 성적소수자 나이 듦에 관한 조사를 참고하면, 시스젠더는 26.1%가 동성결혼 법제화를 원하지만, 트랜스젠더퀴어는 7.2%에 불과하며, 37.3%는 가족구성권(이 조사에서는 가족구성권을 '폭넓고 자유로운 공동체'로 규정했다) 법제화를 원한다고 답했다. 그 뒤를 이은 제도들 또한 생활동반자법(25.3%), 차별금지법(16.9%) 순서로 나타나 시스젠더와 트랜스젠더퀴어 사이 제도적 요구에 차이가 있음이 나타났다. 또한 연령대가 높을수록 생활동반자법이나 동성결혼보다 가족구성권에 대한 요구가 높았다.[10] 이러한 결과는 동성결혼이나 생활동반자법이 누구의 의제인지, 또한 누가 다양한 생활공동체를 욕망하는지, 그리고 이러한 요구들이 어디에서 만나고 갈라지는지에 대해 주목할 필요성을 제기한다. 즉, 생활동반자법 제정이나 동성결혼 법제화를 추진하는 운동은 성소수자 내부의 차이에 반드시 주목해야 하며, 다양한 관계가 '가정생활'로 좁혀지지 않도록 하는 방향성에 대한 깊은 고민이 필요한 것이다.

이러한 지점에서, 생활동반자법 제정 또한 기존의 가족제도와 무관하게 살아가던 시민들에 대한 차별을 공적으로 해소하는 과정과 연동되어야 하며, 결혼을 매개로 시민의 자격과 삶을 판단하는 가족규범을 질문해야만 한다. 마찬가지로 혼인평등운동 또한 동성결혼에 대한 인정을 넘어서 결혼제도 안과 밖의 공고한 경계를 구성하는 권력에 주목하는 정치적인 실천이어야만 한다. 가구넷 류민희 활동가는 혼인평등을 주제로《彳(?)》과 진행한 인터뷰에서 동성결혼보다 혼인평등이라는 용어를 주요하게 사용하는 이유에 대해, 동성결혼이라는 용어가 바이섹슈얼, 논바이너리, 트랜스젠더를 포함한 퀴어들을 보이지 않게 하는 측면이 있고, 또한 성별과 무관한 혼인제도의 평등을 가시화하기 위해서라고 말했다.[11]

결혼제도는 결혼제도 밖의 성소수자들에 대한 낙인뿐만 아니라 이혼한 여성들이나 비혼여성들에 대한 낙인 또한 공고하게 작동하도록 하는 근거였으며, 결혼제도 밖의 삶은 개인이 알아서 책임져야 하는 것으로 여겨지는 문화를 만들어왔다. 이러한 지점에서, 혼인평등운동 또한 '어떤' 성소수자의 이슈가 아니라 공고한 관계의 위계를 해체하고, 경계를 넘나드는 친밀적 연대의 움직임의 장 안에서 새로운 상호의존의 생태계를 구축하는 과정과 연동되어야만 한다. 이성결혼이 단순히 개인의 선택이 아니라 시민권을 획득하는 경로, 경제적인 안정을 추구하는 방법 등과 연결되는 맥락과 마찬가지로 혼인평등운동 또한 누가 어떠한 조건에서 그것을 필요로 하는지, 그것이 어떻게 가족구도를 재편할 수 있는지에 대한 정치적·실천적인 접점들을 모색해나가야만 한다.

누가 곁에 있을 수 있고, 누구와 상호의존할 수 있는가의 문제는 개인적인 것이 아니라 사회적인 문제이며, 또한 정치적인 문제다. HIV 감염인들이 유일하게 모일 수 있는 공간인 PL사랑방은 운영자금 부족으로 긴급모금을 진행하며 그곳을 오가는 이들이 정의한 사랑방의 의미를 공유한 바 있다. "나에게 PL사랑방은 정이 있는 곳 정보가 있는 곳 / 빛이 있는 곳 / 빛을 잇는 곳" "가족과 같은 공간입니다~~ 항상 그곳에 있어줘서 감사합니다"[12]라는 사람들의 말처럼 새로운 관계는 매우 다양한 공간에서 탄생할 수 있다. 가족을 정치화하는 것은 바로 그런 다양한 공간을 확보하는 것, '그 가족'을 넘는 다양한 삶의 연대, 돌봄연대를 가능하게 하는 것이다.

몫이 없는 무수한 이름 없는 삶과 관계들은 '뒤처진' 것이 아니라 제도적 가족 밖에서도 새로운 세계를 모색하며 가족의 의미를 확장해온 이들이다. 이러한 맥락에서, 가족구성권은 사적인 영역에서의 결혼 인정, 동반자 인정이라는 '가정생활'로 그 논의가 축소되지 않는 난잡한 친밀성 정치의 한 축으로 위치해야만 한다. 차별과 낙인 속에서도 생존의 문법을 만들고 실천해온 불온하고 문란한 친밀성들이 '퀴어한 유산이자 자원'으로 사회에 전수될 수 있도록 말이다.

인구정책을 넘어 삶의 재생산이 가능한 사회를 모색하기

2005년 9월, 저출산고령사회위원회가 출범한 이래 지금까지 국가는 반복해서 인구위기를 국가의 위기로 규정해왔고, 이에 따라 가족정책 또한 '저출산' 해소를 위한 인구정책에 집중해왔다. 국가는 인구 감소를 심각한 위기로 규정하지만, 많은 시민은 시민들의 삶을 '인구'로 바라보는 국가의 인식과 태도를 진정한 위기라고 보고 있다. 국가는 연일 '저출산'과 함께 초고령사회로의 진입을 목전에 두고 있다는 경고음을 울리면서 이로 인한 '생산성 저하'가 초래할 문제들을 언급하며 시민들의 불안과 두려움을 조성한다. 김영옥의 지적처럼, 아프고 늙고 의존하는 몸으로 사는 것이 가능한 돌봄 생태계를 구축하는 데는 전혀 주의를 기울이지 않은 채 아프고 늙고 의존하는 몸으로 사는 삶을 최대한 지연해야 하고, 그 지연 또한 개인의 노력으로 완수해야 한다는 이데올로기를 설파하는 데 주저함이 없다.[13]

가족변동 상황에서도 국가는 불평등한 돌봄이나 위계적인 성별관계에 주목하기보다 단순히 부족한 노동력을 어떻게 확보할 것인가에 대한 대책 중심으로 논의하고 있다. 2021년 7월 7일 진행된 비상경제 중앙대책본부 회의에서 '인구위기'를 해결하고 경제성장 동력을 만들어내겠다며 외국인 인력 활용을 정책 방향으로 제시하는 식이다.[14] 이 회의에서는 3대 '인구지진 징후'로 노동공급 감소, 고령층 부양비용 급증, 지역별·분야별 불균형 확대가 언급되었는데, 이에 대한 해결책은 외국인력 확보를 통한 미래 성장 동력을 마련해야 한다는 것이었으며, 이에 따라 우수 외국인력 유입을 위한 외국전문인력 거주 대상 비자 확대가 구체적인 정책으로 언급되었다. 이렇듯 성장주의에 기반한 접근은 시민들의 삶을 전혀 고려하지 않고 있다. 이러한 논리는 기후위기 상황에도 그대로 적용되어, 사람과 자연의 새로운 공존을 모색하기보다 경제성장을 어떻게 '친환경적'으로 유지할 것인가에 집중하는 데서도 드러난다.

사이토 고헤이는 《지속 불가능 자본주의》에서 재난편승형 자본주의를 언급하면서 자본은 경제성장을 위해서 수단을 가리지 않는다고 강조한 바 있다.[15] 즉, 기후변화 등 환경위기가 심각해지는 상황에서도 자본주의는 그 속에서 이윤 획득의 기회를 포착해낸다는 것이다. 산불이 늘어나면 화재보험을 판매하고, 메뚜기가 늘어나면 농약을 판매하는 식으로 자본주의사회에서 재난은 자본축적의 새로운 '기회'로도 작동함을 지적하고 있다. 그렇다면, 기후위기와 인구정책을 넘어서 삶의 재생산을 의제화하는 것은 어떻게 가능할 것인가? 조효제는 성장과 소비지상주의가 만들어내는 '좋은 삶'의 의미를 새롭게 만들어야 하며, "현세대 내의 연대를 위한 돌봄 패러다임의 전환, 세대 간 연대, 사람과 자연과의 연대"를 제안한 바 있다.[16] 지금까지 '좋은 삶'이라는 생애모델은 이성애규범적인 가족중심 생애모델을 통해서 작동해왔고, 연대와 공존에 기반하기보다 폐쇄적인 가족주의에 근거를 두었다. 이러한 지점에서, 시민적 유대와 상호의존의 생태계를 모색하는 퀴어가족정치는 새로운 상호공존을 모색하는 기후정의 운동과 교차될 수밖에 없는 정치적인 장이다. 김현미는 기존의 사회적 재생산 모델은 이성애중심 핵가족 모델로, 이러한 모델은 더 많은 소비를 통해서 행복하고 따뜻한 가족애를 강조하는 방식으로 제시되어 기후위기를 외면하고 심화할 수

있는 조건이 되었다고 지적한 바 있으며, 이에 따라 생태주의적 사회적 재생산을 제기하기도 했다.[17]

현재 한국사회 불평등문제는 인구위기, 가족위기, 돌봄위기, 기후위기, 재생산위기 등 온갖 위기로 호명된다. 이러한 위기 호명을 재생산정의, 기후정의, 돌봄정의 등으로 전환하는 움직임은 현재에 출현하는 다양한 시민들의 주체적 행위들과 연결되어 있다. 백영경이 언급한 대로, 취약한 집단은 문제가 있는 집단이 아니라 가장 먼저 사회적 불평등을 경험하고 위기를 체화해, 변화의 필요성을 가장 먼저 감지하는 '최일선 공동체'일 수 있다.[18] 이러한 지점에서, 재생산위기나 기후위기를 논할 때 청소년들을 '미래의 어떤 삶'으로 소환하거나, 지금 청소년인 아이들의 '미래'를 위해서 움직여야 한다는 식의 메시지가 실상 변혁의 주체로서의 청소년에 대한 무관심이라는 청소년 기후정의 활동가의 지적은 주요하다.[19]

어떤 사회가 유지되고 재생산되는가에 대한 이야기는 미뤄진 채, 즉 현재의 삶은 삭제된 채 미래에 대한 이야기가 난무한다. 이러한 시대는 '미래는 없다'라는 급진적인 선언을 요청한다. 성적권리와 재생산정의를 위한 센터 셰어의 활동가 나영은 경제성장과 저출산 대응을 위한 정책이 아니라 삶의 재생산을 가능하게 하는 관계망을 지원하는 정책이 필요하다고 강조했다.[20] 삶의 공존이 가능한 현재를 만들기 위해서는 사회에 이로운 자/아닌 자를 지속적으로 구분하는 생명정치, 인구정치를 퀴어가족정치로 바꾸어가야 한다. 퀴어가족정치의 핵심 의제는 근본적으로 발전주의, 성장주의 너머의 삶과 관계에 대한 모색이 되어야 할 것이다. 성장주의, 발전주의와 결합된 가족주의의 해체야말로 불평등한 사회를 재구성하는 중요한 출발점이기 때문이다. 우리는 이성애규범적인 가족중심 시민모델을 통해서 작동해온 나와 타자의 공고한 경계를 무너뜨리고 이상적인 시민/비시민의 경계를 비틀면서 '오염된 공동체'를 만들어낼 필요가 있다. '오염된 공동체'란 가족상황, 인종, 장애, 성적 지향, 성별정체성 등으로 삶의 경계를 구분하는 권력에 개입함으로써 새로운 시민적 유대의 장을 확대하는 공동체를 의미한다. 오염된 공동체를 만드는 일은 그 자체로 인구의 '정상화'와 '최적화'를 목표로 하는 생명정치에 대한 저항이 될 수 있으며[21] 기존의 성장주의, 발전주의와 다른 생존의 가능성을 모색하는 과정과도 닿아 있다.

장애·환경·퀴어·노동운동가이자 시인이며 에세이스트인 일라이 클레어$^{Eli Clare}$는 《망명과 자긍심》을 통해 다중쟁점 정치학을 논의하면서 "우리 삶과 이 세상의 모든 복잡다단함을 반영하는 정치를 구축하는 일은 임의로 선택할 수 있는 문제가 아니라 절대적으로 필요한 일이다"[22]라고 말했다. 그의 말처럼 계속해서 다중적인 질문을 만들어가는 일은 지속 가능하고 좋은 대안을 마련하는 데 피할 수 없는 과정이다. 새로운 상호의존의 생태계를 만들어내기 위해서 가족을 정치화하는 과정은 미래의 '위기'에 대한 대응이 아니라 현재의 불평등을 토대로 하는 변혁의 도모이며, 다중쟁점적이다.

퀴어활동가 나영정은 현재의 가족정책이 개인의 인권에

기반한 것이 아니라 국가와 사회에 이로운 방향으로 인구를 '만들어내려는' 관점에 기반하며, 따라서 이러한 관점을 바꾸는 일은 새로운 사회의 방향을 둘러싼 투쟁일 수밖에 없다고 지적했다.[23] 그가 강조했듯 가족정책을 둘러싼 투쟁은 자유권, 노동권, 주거권, 교육권 등의 권리뿐만 아니라 새롭게 등장하는 탈시설의 권리, 성과 재생산의 권리, 가족구성의 권리와도 연결되는 전방위적인 연대의 장이 될 수밖에 없다.

결국, 퀴어가족정치는 '연결의 의지'를 새로운 시민성의 토대로 확보하는 방향을 향해야 할 것이다.

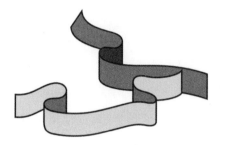

시민적 유대가
가능한 사회를 꿈꾸며

이 책을 쓰면서, 그리고 가족구성권이라는 의제로 활동을 지속하면서 내내 가져온 질문은 이토록 가족제도의 안과 밖이 공고한 사회에서 과연 가족제도 안의 시민들은 행복할까, 라는 것이었다. 내내 살펴본 것처럼 한국의 가족제도는 '정상' 밖의 존재들을 단죄하고, 차별하고, 문제화하면서 작동한다. 공적인 영역의 모든 곳에서 예비부부-결혼-출산-부모-조부모라는 생애주기를 당연시하고, 그러한 생애주기에 포함되는 시민들을 이상적인 시민이자, 사회적인 성원권을 가진 존재로 '인정'하며 가족제도 안에서의 '안온'과 '행복'을 약속한다. 그러나 여러 통계나 시민들이 들려준 이야기를 통해서 살펴보았듯 국가가 상정하는 생애정상성은 이제 허구에 가깝다. 한때는 그러한 생애정상성의 구도 '안'에 존재할지 몰라도 인생의 다른 한때는 생애정상성 구도 '밖'으로 이동하는 것이 오늘날 너무나 흔한 시민들의 삶이라는 것이다. 따라서 중요한 것은 누구나 고립되지 않고 살아갈 수 있는가, 시민들 간의 유대가 가능하며 가족상황과 무관하게 충분하게 돌봄을 받을 수 있는 사회인가, 서로 의지할 수 있는 관계가 제도적으로 충분히 보장되는가, 하는 것이다. 이는 극심한 가족변동을 맞이한 한국사회가 반드시 구조적으로 접근해야 할 문제다.

어떤 사회로 나아갈 것인가에 대한 질문은 현재 우리가 살고 있는 사회를 정확히 진단하는 것으로부터 대답할 수밖에 없다. 한국사회에서 가족은 생존에 대한 거의 모든 역할이 내맡겨진 사회의 기본단위다. 가족주의가 공고한 사회에서 개인이 경험하는 경제적·사회적 불평등은 '제대로 된' 가족을 갖지 못한 개인의 문제가 되고, '제대로 된' 가족을 갖지 못한 개인은 쉽게 가족을 탓하게 되며 때로 가족에 대한 수치심까지도 내면화한다.

개인적 경험으로, 아직도 초등학교 시절 교실 문을 열고 친구의 이름을 불렀던 친구 어머니의 모습이 선명하게 떠오른다. 친구나 친구 어머니의 얼굴은 뚜렷하게 기억나지 않지만, 교실 문을 열고 친구의 이름을 부르는 어머니의 남루한 옷차림을 보고 그때의 나는 '친구가 참 창피하겠다'라는 생각을 했다. 그때의 순간적인 '수치심'은 나도 언제든 그런 상황에 놓일 수 있다는 예감 때문이었다. 친구들과 싸운 어느 날, 선생님이 집이 잘사는 아이들을 감싸며 무작정 내가 잘못한 것이라고 몰아세울 때도 '아, 선생님은 부잣집 아이들을 좋아하는구나'라는 생각을 떨치기 어려웠다. 그것이 어린 내가 마주했던 세계다. 가족을 잣대로 내가 어떤 사람인지가 정해지고, 그에 따라 존중받거나 존중받지 않을 수 있다는 걸 선명하게 감각한 어린 시절의 사건이다.

가난이 가족의 책임이고, 가난한 가족을 두어 수치심을 느껴야 했던 그 세계는 과연 달라졌을까? 홈리스행동 생애사 기록팀이 쓴 《힐튼호텔 옆 쪽방촌 이야기》를 보면, 홈리스행동 사무실에 들어섰을 때 보이는 팻말에 대한 이야기가 나온다. 그 팻말에는 이렇게 쓰여 있다. "나는 게으름뱅이가 아닙니다. 가난은 가족의 책임이 아닙니다."[1] 사회의 시선은 여전히 가난을 노력하지 않은 개인의 문제로, 게으름의 문제로,

노력하지 않고 게으른 가족을 둔 이들의 문제로 여기고 있다. 이러한 사회에서 가난한 삶들이 할 수 있는 것은 '가족에게 폐를 끼치지 말아야 한다'는 생각, 그래서 죽는 순간까지도 가족에게는 연락하지 않겠다는 '슬픈 결심'뿐이다.

이 책 전체를 통해서 '가족'이라는 주제를 저항의 언어로, 정치적이자 인식론적인 사유로 접근한 이유는 이처럼 가난에 대한 책임을 포함해 우리의 일상에서 가족의 정상성과 무관하게 작동하는 영역이 거의 없기 때문이다. 한국사회에서 개인으로 존엄하게 살기 위해서는 가족제도가 어떻게 시민과 비시민을 구분하는지, 국가가 사회에 이로운 자/아닌 자를 어떻게 선별해왔으며, '문란한 자'라는 성적 낙인을 통해서 어떻게 가족질서 안과 밖을 철저하게 구분해왔는지를 정치화해야만 한다. 지금의 가족제도는 퀴어, 장애인, 이주민들을 '가족을 만들어서는 안 되는 존재'로 간주하면서 삶의 고립을 강제하고 있다.

글을 마치면서 마지막으로 최근에 올라온 가족과 관련된 주요한 기사 몇 건을 함께 살펴보자고 청하고 싶다. 새로운 시민적 유대를, 함께 동행하는 사회를 만들어야 할 필요성이 이 기사들에 그대로 담겨 있기 때문이다. 가족규범을 바꾸는 것이 어떻게 돌봄관계망의 확대, 사회적인 소속감의 확대, 사회경제적 불평등의 해소와 연결되는지 다음의 기사들이 말해줄 것이다.

· 이 책을 마무리하던 중 뉴스에서는 〈가족돌봄휴가자에 하루 5만원씩 최대 10일 지원〉(《채널A》, 2022.7.27.)이라는 속보

가 올라왔다. 코로나19 상황에서 가족돌봄휴가제의 도입은 급박한 돌봄의 필요성에서 기인했을 것이다. 그러나 2장에서도 언급했듯 속보를 보자마자 떠오른 것은 이러한 정책에서 배제될 수많은 사람의 얼굴이었다. 가족돌봄휴가자의 대상이 배우자, 자녀, 직계혈족으로만 제한되는 것은 당연하지 않다. 코로나19 감염이 「민법」에서 규정하는 가족 사이에서만 일어나는 것도 아니고, 법적 가족이 없는 시민, 혹은 법적 가족을 떠난 시민들이 모두 '혼자서' 고립된 삶을 살아가지도 않는다. 통계적으로는 1인 가구에 속한다 할지라도, 실제 삶은 누군가와 서로를 돌보는 상호의존의 관계를 맺고 함께 살아가는 시민들이 무수히 많다. 또한 국가는 '가족돌봄휴가자'와 같은 말로 또 한번 돌봄을 '가족'에게 전가할 것이 아니라, 돌볼 사람이 없는 이들을 긴급하게 지원할 정책을 반드시 함께 고려해야만 한다. 이 책을 읽은 이들이 가족돌봄휴가와 같은 정책을 마주할 때 그 대상과 지원내용 등을 비판적으로 감시하고 사회적 보호에 대한 더욱 다양하고 새로운 질문을 던져주었으면 좋겠다. 그러한 질문들이 이어지고 확장될 때, 새로운 시민적 결속이 가능한 사회 또한 조금씩 더 가까워지리라 믿는다.

또 다른 기사는 〈"뱃속 아이 한국인인데"…… 서울시, 다문화가정 임산부 교통비 지원 배제 논란〉(《YTN뉴스》, 2022.7.18.)이라는 기사다. 2022년 7월부터 서울시에 거주하는 모든 임산부에게 교통비 70만 원을 지원하기로 한 서울시가 정책 대상을 산모의 국적을 기준으로 설계해 아직 한국 국적을 취득하지 않은 결혼이주여성들은 지원대상에서 배제되는 상황

이 벌어진 것이다. 코로나19 재난지원금에서도 시행 초기 한
국 국적을 취득하지 못한 결혼이주여성들이 제외되어 논란이
많았던 것을 생각하면 낯설지 않은 풍경이다. 서울시 29개 자
치구에서 다문화가족을 지원하는 많은 부서의 명칭이 '출산
다문화팀' 혹은 '출산장려다문화팀' '출생다문화지원팀'인 상
황에서, 출산이라는 결혼이주여성의 '기능'만을 장려하며 사
회적 성원권은 자꾸만 후순위로 밀릴 때 결혼이주여성들이
과연 소속감을 가질 수 있을까? 또한 이러한 차별은 임산부
의 남편이 한국인이고 태어날 아이가 한국인이기 때문에 부
당하다는 식으로 논의될 것이 아니라, 한국에 정주하고 있으
나 정주할 권리를 보장받지 못하는 이주노동자들의 문제로
확대되어 논의될 필요가 있다. 누가 시민이고 시민이 아닌지
를 구분하는 '분리된 공동체'가 아니라 서로가 섞이고 의존하
는 '오염된 공동체'의 실현은 그러한 인식에서부터 출발할 수
있을 것이기 때문이다.

　　7월에 올라온 또 다른 기사는 〈"장례 치를 돈 없어서" 냉
장고에 아버지 시신 넣어둔 20대〉(《JTBC 뉴스룸》, 2022.7.1.)다.
아마도 많은 이가 안타까움과 함께 '오죽 가난하면'이라는 생
각에 탄식을 내뱉었을지 모르겠다. 한국사회에서 장례는 당
연히 혈연가족이 치르고, 가족의 가난은 개인의 비극으로 여
겨지며, 장례를 치를 가족의 부재는 애도 불가능한 죽음을 상
상하는 토대가 된다. 가족구성권연구소는 모두가 존엄하게
살고 존엄하게 삶을 마무리할 수 있는 세상을 꿈꾸며 '가족
대신 공영장례'를 추진하는 나눔과나눔 박진옥 활동가와의

워크숍을 진행한 적이 있다. 그 워크숍에서 알게 된 사실은 2015년 기준 평균 장례비가 1,300만 원이고, 마지막 병원비는 약 500만 원 정도이며, 장례비용이 없어 가족의 시신인수를 포기하는 가족이 늘어나고 있다는 것이었다. 이러한 상황은 혈연에 기반한 가족제도가 아니라 개인 시민이 존엄하게 머물고 떠날 수 있게 한다는 관점에서 장례에 접근하는 것 또한 사회의 역할임을 제기하고 있다. 나눔과나눔의 공영장례 활동은 신체가 혈연가족에게 귀속되는 가족규범을 해체하며 다양한 동행의 관계를 확보하고자 한다는 점에서 가족구성권 운동과도 밀접하게 연결되어 있다.

지금까지 살펴본 최근의 기사들은 모두 근본적으로 가족에게 부여된 돌봄이나 부양의 책임을 더 이상 가족 안에서 해결할 수 없는 시대에, 어떻게 함께 잘 살고, 함께 생을 잘 마무리할 수 있을까, 라는 질문으로 사회가 이동해야 한다고 말하고 있다. 기존에 '가족' 하면 떠오르는 총합적인 기능들, 즉 친밀적 유대, 상호의존, 돌봄, 경제적인 협조 등을 더 이상 '그 가족'에게 떠넘기지 말고 사회적 안전망을 마련하는 것은 물론이고, 기꺼이 서로를 돌보고 연결되려는 이들의 의지와 권리 또한 적극적으로 보호하고 보장해야 한다.

혹자는 '가족을 넘는' 삶을 모색하자면서 왜 여전히 '가족'이라는 단어를 쓰는지 의문을 가질 수도 있다. 이는 아마도 가족구성권이 가족이라는 말을 사용함으로써 기존의 '그 가족'이라는 의미로 논의가 갇힐 수도 있지 않느냐는 우려일 것이다. '가족'이라는 단어를 사용하는 것에 대한 긴장과 '가족'

이라는 개념과의 불화의 과정은 가족구성권연구모임 초기부터 현재까지 언제나 존재해온 것이기도 하다. 그럼에도 '가족'이라는 말을 사용하는 것은 가족제도로부터 배제된 이들이 기존의 가족제도와 어떻게 불화하는지를 가시화하고, 또한 기존의 가족규범을 벗어나서 생성되는 새로운 관계들이 기존의 '그 가족'과 어떤 지점에서 차이를 드러내고 있는지, 그것이 가족과 관련된 어떤 질문들을 사회에 던지는지를 보기 위해서이다. 결국, '가족'이라는 단어를 가족제도의 불평등에 관한 질문을 확장하고 새롭게 사유하는 변혁의 장치로 재전유함으로써 '가족'의 의미를 전복하고자 하는 것이다.

다시 한번 한국사회가 놓인 현실을 생각해본다. 이미 많은 시민이 정상가족 이데올로기를 거부하고 부정하며 대안들을 찾아 나섰다. 여성이나 성소수자 등 사회적 소수자들은 일찍부터 가족규범과 불화하며 차별과 혐오 속에서도 길을 찾고 생존해왔다. 규범을 벗어나 다른 방식으로 생존을 모색하는 소수자들은 가장 먼저 불평등을 체감하고, 위기를 감지하고, 사회변화의 방향을 예감하는 존재들이기도 하다. 이들의 삶에 존재하는 취약함은 사회가 어떤 방향으로 전환되어야 하는지를 말하고 있다.

2022년 봄은 필자를 포함해 차별금지법 제정을 촉구하는 많은 시민이 상호공존이 가능한 사회를 뜨겁게 염원하면서 연대한 시간이었다. 4월 11일부터 5월 26일까지 46일 동안 이어진 차별금지법제정연대 종걸, 미류 활동가의 기나긴 국회 앞 단식농성은 그 자체로 새로운 연대의 길을 모색하는,

상호공존의 새로운 길을 열어가는 과정이었다. 삶으로 연대하며 서로를 연결하고자 하는 움직임들은 앞으로도 현재의 연대로, 현재의 연결로 계속해서 이어질 것이다.

　　가족형태·가족상황으로 인한 차별은 나와 타자의 경계를 공고히 하는 이성애규범적인 가족중심 시민모델을 넘어 상호의존의 생태계를 다시 만들어나가는 과정에서 조금씩 해소될 수 있다. '그 가족'을 변태스럽게 흔들고 비트는 이들로 이 공동체가 더욱 다양하게 오염되기를, 그 속에서 우리의 일상이 보다 찬란해지기를 소망한다.

감사의 말

이 글을 쓰는 지금은 한여름 무더위와 기후위기로 인한 극심한 장마가 지나가고 조금은 선선한 가을바람이 불어오기 시작한 밤이다. 2022년 여름은 이 책과 매일을 씨름하며 보낸 날들이었다. 이 책에 담긴 여러 갈래의 관점과 고민들은 2018년 가족구성권연구모임 시절의 여름 워크숍을 기점으로 구체화되기 시작했다. 그 여름 워크숍에서 어느 때보다 급변하는 가족관계와 새로운 관계성을 원하는 시민들의 목소리가 가시화되는 상황에 대한 이야기를 나누던 우리는 가족구성권연구모임을 가족구성권연구소로 전환할 것을 결정했다. 이 책은 그렇게 2006년 첫 모임부터 긴 시간 서로의 의지를 모으며 사회를 바꾸고자 활동해온 가족구성권연구소 멤버들이 아니었으면 나올 수 없는 것이었다. 현재 운영위원으로 활동하고 있는 멤버들의 이름을 불러보고 싶다. 타리(나영정), 종결,

원정, 더지, 나기, 정숙, 화정, 통깨, 소형, 다정. 그리고 지난 시간 오래 함께했던 가람, 장변까지. 이들을 통해서 나는 다른 세계를 꿈꾸는 일의 즐거움을 알았고, 성장할 수 있었다.

이 책 곳곳에서 견지하는 퀴어/페미니즘 관점, 사회적 소수자 관점은 2017년 문재인 전 대통령의 '나중에' 발언 직후부터 현재까지 함께하고 있는 오류동퀴어세미나 모임에서 나눈 이야기들에 기인한다. 미국과 한국이라는 물리적 거리와 시차에도 불구하고 지금까지 세미나가 지속될 수 있었던 동력은 서로를 깊이 돌보고 일상을 나누는 관계의 힘 때문이었다고 생각한다. 호수, 찌끼, 나영, 타리, 시우, 수엉, 주현, 진경, 토리. 이들의 지속적인 격려와 응원은 책을 끝까지 마무리하는 데 큰 힘이 되었다.

장애여성공감에서 진행 중인 연구정책네트워크에 참여한 것은 탈시설운동뿐만 아니라 성적권리와 재생산정의운동, 빈곤운동, 청소년운동, 한부모운동 등 다양한 영역을 가족구성권과 교차적으로 사유하는 데 중요한 영향을 미쳤다. 《시설사회》 공저 참여는 가족구성권이 어떤 활동과 어떤 맥락에서 다른 권리들, 운동들과 연결될 수 있는지 다중적인 쟁점을 고민하는 계기가 되었다. 장애여성공감은 물론이고 함께한 여러 활동가분들께도 감사한 마음을 전한다.

이 책의 집필을 제안한 오월의봄 한의영 편집자는 집필 과정에서 매번 표현할 수 없는 감사의 마음을 품게 할 만큼 많은 역할을 해주었다. 긴 시간 함께해준 작업에 깊은 존경심을 보내고 싶다. 또한 종종 불안하고 외로워지는 글쓰기 과정에서 지치지 않는 일상을 만들어준 것은 '곁에서 글쓰기' 모임이었다. 이 모임을 제안해준 은정님과 여름날 한낮에도 함께 작업해준 가을님, 그리고 다른 멤버들에게도 깊은 감사를 전하고 싶다.

바쁜 연구와 활동 와중에도 기꺼이 추천사를 써주고 격려의 말을 아끼지 않은 김현미, 나영, 조은주 세 분께도 진심으로 감사를 전한다. 여성학회, 가족학회를 통해서 만난 고마운 분들의 이름을 다 거론할 수는 없지만, 많은 이들이 읽고 느끼고 글을 쓰게 하는 동력이 되어주었고, 그 덕분에 책의 내용을 심화할 수 있었다. 이 책에 소중한 삶의 이야기를 실을 수 있도록 허락해준 연구참여자들에게도 다시 한번 고마움을 표하고 싶다.

어머니에게 깊은 감사를 전한다. 사람을 사랑하고, 사람을 돌보는 데 주저함이 없는 그의 모습은 내가 가장 닮고자 하는 삶의 태도였고 어쩌면 다른 사회를 꿈꾸게 하는 계기가 되었을 것이다. 그리고, 19년을 넘게 함께해온 삶의 동반자인 주현에게 깊은 감사를 담아 이 책을 전하고자 한다. 집필 내내 곁에서 나와 함께해준 반려냥 순진, 순동, 반반, 꼬꼬. 냥이들에 대한 나의 애정은 표현할 수 없을 만큼 크다. 오랜 시간 서로에게 의지가 되어준 영이, 소인, 둘리에게도 감사를 전한다.

정해진 길을 걷지 않아도 괜찮다고 서로를 위로하고 힘을 나눈 나의 모든 친구들과 활동 동료들 모두에게 감사를 전한다. 긴 시간 성공회대학교에서 만난 열정적인 학생들과 실천여성학과 선생님들께도 감사를 표한다. 그 만남들에서 받은 자극들은 인생에서 중요한 의미를 가지게 되었으며, 학문 공동체가 얼마나 소중한지도 깨닫게 해주었다. 끝으로, 부족한 이 책을 읽어준 독자께도 미리 감사를 표한다.

책 작업에 한창이었던 2022년 봄과 여름은 차별금지법 제정을 위한 긴 싸움의 나날이기도 했다. 그 싸움의 과정에서 지치지 않도록 서로의 곁이 되어준 모든 이에게 표현할 수 없는 연대와 애정을 전한다.

2022년 8월, 김순남

주

들어가며: 가족은 어떻게 저항의 언어가 될 수 있을까

1 《가족구성권연구소 창립 기념 발간자료집: 2006-2018》, 김원정 엮음,
   가족구성권연구소, 2019.
2 스테파니 데구이어·알라스테어 헌트·라이다 맥스웰·새뮤얼 모인·
   애스트라 테일러, 《권리를 가질 권리》, 김승진 옮김, 위즈덤하우스,
   2018. 74~75쪽.
3 같은 책, 17쪽.
4 김순남, 〈강제된 장소, 강제된 관계를 질문하는 탈시설운동〉,
   《시설사회》, 장애여성공감 엮음, 와온, 2020, 35~44쪽.
5 Liz MonTegary, *Familiar Perversions*, Rutgers University
   Press, 2018, p. 174.

1장 | 돌아갈 수 없는, 돌아가서도 안 되는 '그 가족'

1 황정미, 〈한국인에게 가족은 무엇인가〉, 《황해문화》 통권 제98호,
   새얼문화재단, 2018, 16~26쪽.
2 이가연, 〈서철모 화성시장, "가족이 있는데 왜 국가가 장애인 돌보나"

망언〉,《비마이너》, 2020.7.17.

3 최윤아, 〈아직도 여성에 '결혼·출산' 묻는 취업 면접, 정부는 "법 위반
   아나"〉,《한겨레》, 2021.10.11.

4 이경미, 〈"결혼 안 하고 자녀 가질 수 있다" 응답률 8년째 증가〉,
   《한겨레》, 2020.11.18.

5 김영란, '결혼해야 가족인가요? 함께 하는 삶, 가족, 그리고 정책 이야기'
   발표문, 한국여성정책연구원 주관 토론회 〈2021년 가족정책포럼
   비혼동거 실태조사 결과와 정책적 함의〉, 2021.9.15.

6 신경아, 〈신자유주의시대 남성 생계부양자의식의 균열과 젠더관계의
   변화〉,《한국여성학》제30권 4호, 한국여성학회, 2014, 153-187쪽.

7 송제숙,《복지의 배신》, 추선영 옮김, 이후, 2016.

8 같은 책.

9 윤홍식,《한국 복지국가의 기원과 궤적 2》, 사회평론아카데미, 2019.

10 김세진, 〈고령화 속도 가장 빠른 한국, 노인 빈곤율은 이미 OECD 1위〉,
   《데이터솜》, 2021.2.18.

11 박현정, 〈사별·이혼으로 나락…… 한부모가족 못 건져 올린 '복지망'〉,
   《한겨레》, 2021.10.17.

12 윤홍식, 〈박정희 정권 시기 한국 복지체제: 반공개발국가, 복지국가의
   기능적 등가물〉,《한국사회정책》제25권 1호, 한국사회정책학회,
   2018, 195~229쪽.

13 같은 글.

14 이진옥, 〈사회적 재생산을 통해 본 발전국가의 재해석〉,《여성학연구》
   제22권 1호, 부산대학교 여성연구소, 2012, 76~77쪽.

15 같은 글, 78쪽.

16 김현미, 〈코로나 시대의 '젠더 위기'와 생태주의 사회적 재생산의 미래〉,
   《젠더와 문화》제13권 2호, 계명대학교 여성학연구소, 2020, 58쪽.

17 류형림·이민주·이지원·정슬아·최진협, '돌봄 위기를 겪은 89명의
   인터뷰를 통해 본 코로나 19와 돌봄 위기', 한국여성민우회 주관 토론회
   〈돌봄 분담이요? 없어요, 그런 거〉, 2020.10.28.

18 박시내, 〈고령화와 노년의 경제·사회활동〉,《KOSTAT 통계플러스》
   가을호, 통계청, 2019.

19 홍찬숙, 〈동북아 가족주의 맥락에서 본 한국 여성 개인화의 세
   시나리오〉,《경제와사회》제113권, 비판사회학회, 2017, 147~172쪽.

20 허윤, 〈지금 가장 정치적인 것〉,《말과활》11호, 일곱번째숲, 2016,
   126~127쪽.

21   이병호, 〈제2차 인구변천 이론, 1986-2020: 특징, 논쟁, 함의〉,
《한국인구학》 제43권 4호, 한국인구학회, 2020. 37~68쪽.

22   같은 글, 50~51쪽.

23   지은숙, 〈한·일 비교의 관점에서 본 한국 비혼담론의 특성과 생애서사
구축에서 나타나는 정치성〉,《한국문화인류학》 제53권 1호,
한국문화인류학회, 2020, 179~218쪽.

24   김영미, 〈계층화된 젊음: 일, 가족형성에서 나타나는 청년기
기회불평등〉,《사회과학논집》 제47권 2호, 연세대학교 사회과학연구소,
2016, 27~52쪽.

25   신지은(안산여성노동자회 활동가), 〈비혼-비출산이 '스펙'이 되지 않는
사회를 원한다〉,《오마이뉴스》, 2022.3.8.

26   김수정, 〈비교국가적 관점에서 본 한국 청년 빈곤의 특수성〉,
《한국인구학》 제43권 2호, 한국인구학회, 2020, 77~101쪽.

27   같은 글, 91쪽.

28   정성조, 〈'청년세대' 담론의 비판적 재구성: 젠더와 섹슈얼리티를
중심으로〉,《경제와 사회》 제123호, 비판사회학회, 2019. 12~39쪽.

29   조재민, 〈코로나 팬데믹 새로운 위협 '사회적 고립' 대책 절실〉,
《디멘시아 뉴스》, 2022.3.31.

30   김성아, 〈고립의 사회적 비용과 사회정책에의 함의〉,《보건복지포럼》 제
305권 0호, 한국보건사회연구원, 2022. 74~86쪽.

31   같은 글.

32   김주환, 〈프랑스 등 유럽 10개국 신생아 절반 이상이 '혼외 출산'〉,
《서울경제》, 2018.4.18.

33   고영태, 〈동성결혼 허용 28개 국가는?…… 성인 2.7% 동성애〉,《KBS
뉴스》, 2019.5.23.

34   에릭 클라이넨버그,《고잉 솔로 싱글턴이 온다》, 안진이 옮김, 더퀘스트,
2013, 35쪽.

35   김영미, 〈계층화된 젊음: 일, 가족형성에서 나타나는 청년기
기회불평등〉,《사회과학논집》 제47권 2호, 연세대학교 사회과학연구소,
2016, 27~52쪽.

36   이선영, 〈국민 10명 중 6명 "결혼 안 해도 동거할 수 있다"〉,《시사저널》,
2020.11.18.

37   신성식·이에스더·이승호, 〈병든 부모 보살피는건 딸·며느리…… 남편
쓰러지면 또 수발〉,《중앙일보》, 2019.5.9.

38   조한진희,《아파도 미안하지 않습니다》, 동녘, 2019, 226쪽.

39   Thomas Kemple, ⟨Milestones and cornerstones: Queering the life course⟩, *Journal of Classical Sociology, Vol.22 No.1*, p.102.

40   정인·오상엽, ⟨2020 한국 1인 가구 보고서⟩, KB금융지주 경영연구소 1인 가구 연구센터, 2020.

41   황두영, 《외롭지 않을 권리》, 시사IN북, 2020, 73쪽.

42   김수정, ⟨청년층의 빈곤과 이행의 곤란⟩, 《사회보장연구》 통권 제54호, 한국사회보장학회, 2010, 49~72쪽.

43   김민수·김종훈·김경서·정민석·김보미, ⟨성소수자, 주거권을 말하다⟩, 성소수자주거권네트워크, 2021.

44   같은 글.

2장 | 무엇이 시민적 유대를 가로막는가

1   한우리, ⟨섹슈얼리티를 통해 팬데믹의 규범성과 집합적 돌봄을 상상하기⟩, 《한국언론정보학보》 제110권, 한국언론정보학회, 2021, 62쪽.

2   사이토 준이치, 《민주적 공공성》, 윤대석·류수연·윤미란 옮김, 이음, 2009.

3   김영정, 《다양한 가족의 권리 보장 방안 연구》, 서울시여성가족재단, 2020.

4   David H. J. Morgan, *Family Connections*, Polity, 1996.

5   유화정, ⟨한국사회에서 동거커플, 그리고 그들의 복잡한 젠더실천과 가족'하기'⟩, 《여/성이론》 통권 제33호, 도서출판여이연, 2015, 84~98쪽.; 한빛나, ⟨동성애 동거커플의 '가족실천'과 의미에 관한 연구⟩, 이화여자대학교 대학원 여성학과 석사학위논문, 2015.

6   김혜경, ⟨가족구조에서 가족실행으로: '가족실천'과 '가족시연' 개념을 통한 가족연구의 대안 모색⟩, 《한국사회학》 제53권 3호, 한국사회학회, 2019, 232~233쪽.

7   김규원, ⟨가족개념의 인식과 가치관⟩, 《가족과문화》 제7권, 한국가족학회, 1996, 213~255쪽.

8   김영란, ⟨비혼동거 실태조사 결과 및 정책적 함의⟩, 《결혼해야 가족인가요? 함께하는 삶, 가족, 그리고 정책 이야기》, 한국여성정책연구원, 2021.

9   조은주,《가족과 통치》, 창비, 2018, 216쪽.

10 이임하,《여성, 전쟁을 넘어 일어서다》, 서해문집, 2004, 185~186
    쪽.; 정승화,〈한국 근대 가족의 경계와 그림자 모성: '식모-첩살이'
    경험 여성의 구술생애사를 바탕으로〉,《한국여성학》제31권 3호,
    한국여성학회, 2015, 86쪽에서 재인용.

11 엘리자베트 벡 게른스하임,《가족 이후에 무엇이 오는가》, 박은주 옮김,
    새물결, 2005, 47쪽.

12 Kath Weston, *Families We Choose*, Columbia University Press,
    1991.

13 엘리자베트 벡게른스하임, 앞의 책.

14 캐슬린 린치·존 베이커·모린 라이언스,《정동적 평등》, 강순원 옮김,
    한울아카데미, 2016, 19쪽.

15 양현아,《한국 가족법 읽기》, 창비, 2011, 334쪽.

16 같은 책, 363쪽.

17 이은정,〈가족의 범위〉,《가족법연구》제20권 1호, 한국가족법학회,
    2006.

18 차선자,〈새로운 가족개념에 대한 법적 고찰〉,《법연》, 한국법제연구원,
    2011.

19 김보배·김명희,〈연명의료결정법의 한계를 극복하기 위한 대리인
    지정제도 도입방안 모색〉,《한국의료윤리학회지》통권 제55호,
    한국의료윤리학회, 2018, 101쪽.

20 성경숙,〈연명의료결정법상 환자의 동의에 대한 고찰-미국의
    연명의료결정법을 중심으로〉,《법학논총》제44권, 숭실대학교
    법학연구소, 169쪽.

21 대법원 1995.3.28., 선고, 94므1584, 판결. https://www.law.
    go.kr/%ED%8C%90%EB%A1%80/(94%EB%AF%801584)

22 김현경·나영정·이유나·장서연,〈2019 이슈 발굴 및 논의를 위한
    N개의 공론장 '법이 호명하는 가족의 의미와 한계' 연구보고서〉,
    서울특별시 청년허브, 2021.

23 사라 아메드,《행복의 약속》, 성정혜·이경란 옮김, 후마니타스, 2021,
    198쪽.

24 푸하,〈난새의 마지막 페미니즘 캠프: 퀴어파트너의 장례절차〉,
    퀴어페미니스트 매거진《펢》5호, 언니네트워크, 2021, 75~83쪽.

25 같은 글.

26 공선영·박건·정진주,《의료현장에서의 보호자 개념은 다양한 가족을

포함하고 있는가?》, 사회건강연구소, 2019, 6쪽.

27 에스더 D. 로스블룸·캐슬린 A. 브레호니, 《보스턴 결혼》, 봄알람, 2021.

28 허민숙, 〈가족다양성의 현실과 정책 과제: 비친족 친밀한 관계의 가족 인정 필요성〉, 《NARS 현안분석》, 국회입법조사처, 2022, 11쪽.

29 나영정·김소형·김순남·김원정·김현경·이유나, 〈가족실천 및 가족상황 차별 실태조사〉, 전남대학교출판문화원, 2021.

30 호주 국세청 홈페이지. https://www.ato.gov.au/Individuals/ Super/In-detail/Withdrawing-and-using-your-super/Early-access-on-compassionate-grounds/?page=3

31 나영정·김순남·김현경·유화정·김소형, 〈가족다양성에서 가족구성권으로-가족정책 패러다임 전환의 필요성과 과제〉.

32 김현경·나영정·이유나·장서연, 〈2019 이슈 발굴 및 논의를 위한 N 개의 공론장 '법이 호명하는 가족의 의미와 한계' 연구보고서〉.

33 이 소송에 대한 구체적인 내용은 다음의 판결을 참고하라. 사건번호 2011헌마267. https://www.ccourt.go.kr/site/kor/ex/bbs/View. do?cbIdx=1106&bcIdx=941655

34 현행법 속 가족에 대한 보다 상세한 내용은 다음의 글을 참고하라. 김현경, "법조문 속 '가족'", 가족구성권연구소 홈페이지, 2021. http:// familyequalityrights.org/?p=394

35 김순남·성정숙·김소형·이종걸·류민희·장서연, 〈서울시 사회적 가족의 지위 보장 및 지원방안 연구〉, 서울특별시의회, 2019.

3장 | '미래 없음'의 존재들

1 김순남, 〈소수자의 가족구성권: 정상가족 모델을 넘어서〉, 《무지개는 더 많은 빛깔을 원한다》, 창비, 2019, 175~193쪽.

2 낸시 프레이저, 《전진하는 페미니즘》, 임옥희 옮김, 돌베개, 2017, 91~96쪽.

3 허재현, 〈'동성애 반대' 광고 진짜 목표는 '차별금지법' 저지?〉, 《한겨레》, 2010.10.29.

4 너멀 퓨워, 《공간 침입자》, 김미덕 옮김, 현실문화, 2017.

5 같은 책.

6 김민수·김종훈·김경서·정민석·김보미, 〈성소수자, 주거권을 말하다〉.

7 나영정·김순남·김현경·유화정·김소형, 〈가족다양성에서

가족구성권으로-가족정책 패러다임 전환의 필요성과 과제〉.

8   같은 글.

9   추영, 〈미혼남녀 중매에 나선 지자체, 찬반 팽팽!〉, 《웨딩TV》, 2021.6.30.

10 충청남도의 「결혼친화도시 조성에 관한 조례」 전체 내용은 다음의 자료에서 살펴볼 수 있다. 《충청남도 도보》 2530호, 충남도청, 2021, 45~48쪽.

11 김순남, 〈강제된 장소, 강제된 관계를 질문하는 탈시설운동〉, 《시설사회》, 35~44쪽.

12 김은정, 《치유라는 이름의 폭력》, 강진경·강진영 옮김, 후마니타스, 2022.

13 〈장해자조사보고서〉에 대한 자세한 내용은 백남중의 블로그에 정리된 다음의 글을 참고하라. "1966 장해자조사보고서", 2016.12.10. http://njpaiks.egloos.com

14 정혜실, '피해자는 어떻게 동료시민이 될 수 있을까?' 토론문 72~75쪽, 장애여성공감 주관 젠더포럼 〈시설사회, 제도화 이후에 무엇이 오는가〉, 2021.11.25.

15 김지은, 《김지은입니다》, 봄알람, 2020, 234~235쪽.

16 우주현·김순남, 〈'사람'의 행복할 권리와 '좀비-동성애자'의 해피엔딩 스토리: '인생은 아름다워' 시청자 게시판 분석을 중심으로〉, 《한국여성학》 제28권 1호, 한국여성학회, 71~112쪽.

17 HJK Hobart·Tamara Kneese, 〈Radical Care〉, *Social Text Vol. 38 No. 1*, 2020, p. 1~16.

18 Lee Edelman, *No Future*, Duke University Press Books, 2004

19 김호수, 〈해외입양과 미혼모, 그리고 한국의 정상가족〉, 《시설사회》, 2020, 45~58쪽.

20 조은주, 《가족과 통치》.

21 나영, '낙태죄 폐지 운동의 의의와 향후과제', 한국여성학회춘계학술대회 〈포스트성장사회와 페미니즘 돌봄 전환〉, 2021.6.19.

22 같은 글.

23 배은경, 《현대 한국의 인간 재생산》, 시간여행, 2012, 156쪽.

24 조은주, 〈발전국가와 젠더: 통치의 성별화, 성별화된 주체화〉, 《역사비평》 제134호, 역사문제연구소, 2021, 155쪽.

25 배은경, 앞의 책, 183쪽.

26 나영정, 〈낙태죄 폐지 투쟁의 의미를 갱신하기〉, 《배틀그라운드》,

백영경 외, 성과재생산포럼 기획, 후마니타스, 2018, 268~287쪽.

27 허오영숙, '성과 재생산: 한국의 이주여성과 관련하여' 토론문,
    장애여성공감 부설 장애여성독립생활센터 숨 주관 성과재생산포럼
    ×IL과 젠더포럼 2차 〈소수자 운동의 관점으로 성과 재생산 말하기〉,
    2016.8.23.

28 김순남, 〈이주여성들의 결혼, 이혼의 과정을 통해서 본 삶의 불확실성과
    생애지도의 재구성〉, 《한국여성학》 제30권 4호, 한국여성학회, 2014,
    189~231쪽.

29 권명아, 《무한히 정치적인 외로움》, 갈무리, 2012, 20쪽.

30 민나리·김주연·최훈진·최영권, 〈벼랑 끝 홀로 선 그들: 2021년 청소년
    트랜스젠더 보고서〉, 《서울신문》, 2021.12.16.

31 Heather Love, *Feeling Backward*, Harvard University Press,
    2007.

32 같은 책.

33 전근배, '다시 시설화와 탈시설화를 정의해 나가는 노력' 토론문 19쪽,
    장애여성공감 주관 젠더포럼 〈시설사회, 제도화 이후에 무엇이 오는가〉,
    2021.11.25.

34 진은선, '시설정책은 자발적 퇴소를 지원하는가?' 토론문 6~16쪽,
    장애여성공감 주관 젠더포럼 〈시설사회, 제도화 이후에 무엇이 오는가〉.

35 김지혜, 〈탈시설운동은 '없애는 것' 넘어 '만드는 것'〉, 《시설사회》,
    191~200쪽.

36 오진방, 〈한부모, 장소가 만들어내는 차이: 탈시설에서 답을 찾다〉, 앞의
    책, 69~78쪽.

37 은주희·임고운, 〈2019 청소년부모 생활실태 조사 및 개선방안 연구〉,
    (사)한국미혼모지원네트워크, 2019.

38 이진희, 〈장애여성은 잔여의 대상이 아니라 평등을 일구는 동료가 되길
    원한다〉, 《황해문화》 통권 제115호, 새얼문화재단, 2022, 258쪽.

39 홈리스행동 생애사 기록팀, 《힐튼호텔 옆 쪽방촌 이야기》, 후마니타스,
    2021, 24쪽.

40 나영정·김소형·김순남·김원정·김현경·이유나, 〈가족실천 및 가족상황
    차별 실태조사〉.

4장 | 원본 없는 가족/친척 만들기

1 더 케어 컬렉티브, 《돌봄 선언》, 정소영 옮김, 니케북스, 2021, 79쪽.

2 더글러스 크림프, 《애도와 투쟁》, 김수연 옮김, 현실문화, 2021.

3 도나 해러웨이, 《트러블과 함께하기》, 최유미 옮김, 마농지, 2021, 177쪽.

4 Marilyn Strathern, 〈Kinship as a Relation〉, *L'Homme No. 210*, 2014, p.48.

5 엄기호, 《고통은 나눌 수 있는가》, 나무연필, 2018, 156쪽.

6 김은정, 〈'좋은 왕'과 '나쁜 왕'이 사라진 자리: 불온한 타자의 삶을 가능케 할 반폭력, 탈시설의 윤리〉, 《시설사회》, 201~220쪽.

7 같은 글.

8 김경태, 〈동시대 한국 퀴어 영화의 정동적 수행과 퀴어시간성: '벌새', '아워바디', '윤희에게'를 중심으로〉, 《횡단인문학》 제6호, 3쪽.

9 김순남·성정숙·김원정·나영정·유화정, 〈서울시건강가정지원센터 정체성 및 활성화 방안〉, 서울시건강가정지원센터, 2018.

10 에바 페더 커테이, 《돌봄: 사랑의 노동》, 나상원·김희강 옮김, 박영사, 2016.

11 김민수·김종훈·김경서·정민석·김보미, 〈성소수자, 주거권을 말하다〉.

5장 | '연결의 의지'를 권리의 토대로

1 김영정·김성희, 〈여성가족정책사 현장 재조명: 호주제 폐지운동을 중심으로 본 가족 이슈 변화와 방향〉, 《서울시 여성가족재단 연구사업보고서》, 서울시여성가족재단, 2018.

2 통깨, '가족, 돌봄과 친밀함의 공동체' 토론문 4~9쪽, 차별금지법제정연대 주관 토론회 〈가족, 의무에서 권리로 차별에서 평등으로〉, 2019.10.23.

3 성정숙, 〈사유리씨 가족: '가족을 구성할 권리'를 위한 행진〉, 《월간복지동향》 제271호, 참여연대사회복지위원회, 2021, 40-47쪽.

4 김윤영, '가족 없이도 살 수 있을 때 가난한 가족도 살 수 있다' 토론문 29~34쪽, 가족구성권연구소 주관 온라인 토론회 〈'가족다양성'을 넘어 차별과 불평등 해소를 위한 가족정책을 제안하며〉, 2021.3.19.

5 김용희·한창근, 〈'수저계급' 관련 웹 뉴스 기사에 대한 의미연결망

분석〉,《한국사회복지학》제71권 3호, 한국사회복지학회, 2019, 59쪽.

6   싱두, 〈비혼'들' 어떻게 같고 다른가〉,《페미니스트 연구 웹진 Fwd》 2호,
     2019.7.24.

7   김도현,《장애학의 도전》, 오월의봄, 2019, 344~345쪽.

8   정성조·김보미·심기용·한성진, 〈"나 같은 사람이 혼자가 아니구나":
     2021 청년성소수자 사회적 욕구 및 실태 조사 결과보고서〉, 다양성을
     향한 지속가능한 움직임 다움, 2022.

9   홀릭·캔디·한채윤, 〈성적소수자의 노후 인식조사 보고서〉,
     한국성적소수자문화인권센터, 2021, 30~31쪽.

10   같은 글.

11   낙타·류민희 인터뷰, 〈일상의 작은 승리로부터 평등을 향한 점까지〉,
     퀴어페미니스트 매거진《펢》 5호, 115~124쪽.

12   "PL사랑방을 지켜주세요" 소셜펀치 후원 페이지, 2022. https://
     m.socialfunch.org/plsarangbang

13   김영옥, 〈여는 글: 새벽 세 시, 몸으로 사는 삶의 한가운데서〉,《새벽 세
     시의 몸들에게》, 생애문화연구소 옥희살롱 기획, 봄날의책, 2020, 23쪽.

14   기획재정부, 〈제40차 비상경제 중앙대책본부 회의 겸 제12차 한국판
     뉴딜 관계장관회의 개최〉 보도자료, 대한민국정책브리핑 홈페이지,
     2021.7.7. https://www.korea.kr/news/pressReleaseView.
     do?newsId=156460516

15   사이토 고헤이,《지속 불가능 자본주의》, 김영현 옮김, 다다서재, 2021,
     118쪽.

16   조효제,《침묵의 범죄 에코사이드》, 창비, 2022, 261~262쪽.

17   김현미, 〈코로나 시대의 '젠더 위기'와 생태주의 사회적 재생산의 미래〉,
     《젠더와 문화》 제13권 2호, 41~77쪽.

18   백영경, 〈돌봄과 탈식민은 탈성장과 어떻게 만나는가〉,《창작과비평》
     제195호, 창비, 2022, 27~28쪽.

19   둠코, '기후위기를 어떻게 현재의 문제로 읽어낼 것인가?' 토론문
     103~106쪽, 체제전환을 위한 기후정의동맹 주관 포럼 〈체제전환을
     위한 기후정의 포럼〉, 2022.3.29.

20   나영, 〈여성가족부 폐지에 대응하며, 성평등정책의 방향을 뒤집어야 할
     때〉,《황해문화》 통권 제115호, 276~277쪽.

21   서보경, 〈서둘러 떠나지 않는다면: 코로나19와 아직 도래하지 않은
     돌봄의 생명정치〉,《문학과사회》 통권 제131호, 문학과지성사, 2020,
     23~41쪽.

22 일라이 클레어,《망명과 자긍심》, 전혜은·제이 옮김, 현실문화, 2020,
   34쪽.
23 나영정, '가족을 구성할 권리와 인권-가족실천의 변화를 중심으로'
   발표문, 서울시 주관 〈2021 서울 인권 콘퍼런스〉, 2021.12.6.

나가며: 시민적 유대가 가능한 사회를 꿈꾸며

1 홈리스행동 생애사 기록팀,《힐튼호텔 옆 쪽방촌 이야기》, 47쪽.

가족을 구성할 권리

초판 1쇄 펴낸날 2022년 9월 8일
초판 3쇄 펴낸날 2023년 10월 26일
지은이 김순남
펴낸이 박재영
편집 이정신·임세현·한의영
마케팅 신연경
디자인 조하늘
제작 제이오
펴낸곳 도서출판 오월의봄
주소 경기도 파주시 회동길 363-15 201호
등록 제406-2010-000111호
전화 070-7704-5240
팩스 0505-300-0518
이메일 maybook05@naver.com
트위터 @oohbom
블로그 blog.naver.com/maybook05
페이스북 facebook.com/maybook05
인스타그램 instagram.com/maybooks_05

ISBN 979-11-6873-032-8 93330

만든 사람들
책임편집 한의영
디자인 조하늘

이 저서는 2019년 대한민국교육부와 한국연구재단의 지원을 받아 수행된 연구임
(NRF-2019S1A5B5A07093994)